Washington, DC

Berlitz Publishing Company, Inc.
Princeton   Mexico City   Dublin   Eschborn   Singapour

Texte:	Martin Gostelow
Photographie:	John Skowronski, ©1999; photographie de la page 73 avec la permission de USHMM Photo Archives
Photo de couverture:	John Skowronski, ©1999
Editeur de photos:	Naomi Zinn
Rédaction:	Media Content Marketing, Inc.
Maquette:	Media Content Marketing, Inc.
Cartographie:	Ortelius Design

Nous tenons à remercier Mary Creczyn et Catriona Macdonald pour leur précieuse collaboration sans laquelle nous n'aurions pas pu écrire ce guide.

Bien que nous vérifions soigneusement l'exactitude des informations présentées dans ce guide, certaines choses peuvent changer. N'hésitez pas à nous faire part de vos corrections ou suggestions en écrivant à Berlitz Publishing Company au 400 Alexander Park, Princeton, NJ 08540-6306. Une carte postale suffira.

ISBN 2-8315-7266-5
1re édition revue et augmentée janvier 1999

Imprimé en Suisse
019/901 REV

SOMMAIRE

- Un (☞ dans la marge indique un site ou monument que nous vous recommandons tout particulièrement

Washington, DC

LA VILLE ET
SES HABITANTS

Washington, bien qu'elle ne soit pas un des 50 Etats américains, est vraiment la cité américaine par excellence. La capitale de la nation appartient, dans le meilleur sens du mot, au peuple, qui voit en elle à la fois un sanctuaire et un endroit où se
distraire. Washington est depuis longtemps une destination favorite
de vacances des familles américaines et les visiteurs étrangers sont
conscients désormais du fait que toute visite aux Etats-Unis doit
inclure cette expérience si spécifiquement américaine.

Par son climat et son atmosphère, Washington se rattache au
Sud, car elle se tient au sud de la ligne Mason-Dixon, frontière
entre la Pennsylvanie et le Maryland, qui a traditionnellement
séparé le Nord du «Dixie» (le Sud). Elle a été la première cité moderne à être bâtie en vue de devenir une capitale nationale. C'est
George Washington, lui-même, qui choisit, en 1790, un site à la
«ville fédérale» qui devait porter son nom. Il posa la première pierre
du Capitol, mais il mourut avant que le Congrès ne s'y réunisse
pour la première fois en 1800. Les Etats de Virginie et du Maryland
cédèrent des portions de leur territoire le long du fleuve Potomac
pour cette nouvelle entité appelée District of Columbia (DC).

De larges avenues rayonnant depuis le Capitol et la Maison-
Blanche sont bordées d'imposants bâtiments fédéraux. Les styles
architecturaux adoptés depuis deux siècles reflètent les variations
du goût officiel, de l'architecture gréco-romaine jusqu'à l'acier
et au verre contemporains.

Heureusement, la ville est restée à échelle humaine: ni gratte-
ciel ni hideux équipements industriels, mais un cadre verdoyant,
qui abonde en espaces publics, parcs, fontaines et innombrables
monuments. Si tout cela fait penser à Paris, c'est pour une bonne
raison: l'homme qui a conçu les plans de Washington, le Français
Pierre Charles L'Enfant, s'inspira de souvenirs parisiens.

Le Lincoln Memorial est l'un des monuments les plus impressionnants de Washington.

Certains monuments ne sont pas seulement beaux mais occupent une position centrale dans l'histoire américaine. Le plus éminent d'entre tous est sans doute le Lincoln Memorial. La grande statue représente Abraham Lincoln assis et symbolise la guérison du traumatisme de la guerre de Sécession. Elle fait face au lieu où Martin Luther King fit son célèbre discours «I Have a Dream» (j'ai un rêve) adressé à une multitude manifestant pour l'obtention de Droits Civiques fidèles aux idéaux de Lincoln. Tout autour de la statue sont gravés les mots de la Gettysberg address bien connus des écoliers américains. Au-delà des eaux du bassin du Memorial, le Washington Monument troue les nuages à travers un cercle de drapeaux. Non loin, des cerisiers offerts par le Japon encerclent le Tidal Basin (bassin des marées) du Potomac et le temple néoclassique en marbre dédié à Thomas Jefferson, auteur de la Déclaration d'Indépendance.

Washington parvient à combiner culture et divertissement. Les familles avec enfants font la queue pour voir le Ford's Theater, où Lincoln fut assassiné, l'exposition des crimes célèbres au Federal Bureau of Investigation (FBI), le dentier en bois de George Washington à Mount Vernon, sans oublier le panda géant au zoo. Les files d'attente sont longues pour voir les expositions du National Air et Space Museum. D'autres musées de la Smithsonian Institution abritent de nombreux trésors, témoins de l'histoire américaine.

Les visiteurs se pressent à la magnifique National Gallery of Art et attendent leur tour pour voir la Folger Shakespeare Library, la Déclaration d'Indépendance aux Archives Nationales, et la bible de Gutenberg à la Library of Congress. Ils assistent aux concerts et spectacles du Kennedy Center, déambulent parmi les cornouillers des jardins de Dumbarton Oaks, suivent une visite guidée de la Maison-Blanche, ou encore se retrouvent dans la Rotonde située sous le dôme du Capitol.

Certains monuments ont une tonalité plus grave que d'autres. L'épais mur du Vietnam Veterans Memorial, recouvert du nom des victimes, n'essaie pas de glorifier leur sacrifice. Son message touchant exprime la peine à la fois personnelle et collective des familles et de la nation. Ici, de nombreux visiteurs sont émus comme souvent aussi près de la tombe du président Kennedy, sur la colline surplombant le cimetière d'Arlington.

La plupart des habitants de Washington travaillent pour le gouvernement fédéral, qui compte 300 000 employés. Ce nombre continue d'augmenter, en dépit des promesses de réduction faites par chaque candidat à la présidence. Ils viennent de tous les Etats de l'Union et sont relativement jeunes. Ils se rencontrent principalement dans les bars et les restaurants d'Adams Morgan et Georgetown. Ce dernier est un élégant quartier résidentiel, fondé en 1665 puis incorporé au District, célèbre pour ses rues ombragées, bordées de maisons dans le style des rois George, contemporaines de celles de Dublin.

A l'exception du nord-ouest de la ville, la majorité de la population de Washington est noire; nombreux sont les descendants d'anciens esclaves du Sud affranchis à l'issue de la guerre de Sécession.

A Washington, il se passe toujours quelque chose de nouveau ou de surprenant. Un quidam peut se tenir à la porte d'entrée du FBI en criant des slogans hostiles sans que le moindre cheveu ne se hérisse. Un autre campe dans une tente à 15 m de la Maison-Blanche pour faire entendre ses doléances. Différentes scènes de la vie quotidienne s'offrent à vous à différents moments de la journée: le banlieusard du matin, Papa ou Maman se précipitant à l'école, le jeune cadre dynamique tiré à quatre épingles et plein d'assurance, le congressiste avec un gros badge, la famille de touristes, la classe d'écoliers en sortie, la vieille dame distinguée de Georgetown promenant son chien de race, la bande réunie au bistrot après le boulot, les habitués des restaurants, sans oublier les véritables noctambules.

Les Américains rentrent chez eux fiers de leur patrie et les visiteurs étrangers emportent le sentiment d'une découverte émerveillée. Derrière le Washington des médias, chacun trouve ici une ville toute de beauté, de dignité, et d'attractions spectaculaires.

Des cérémonies variées animent fréquemment le Mall.

UN PEU D'HISTOIRE

L'idée d'une capitale bâtie spécialement à cet effet n'est plus si étrange aujourd'hui, mais elle dut paraître excessivement visionnaire en 1790, quand le Congrès autorisa le président nouvellement élu à sélectionner un site «n'excédant pas 10 miles carrés» sur le fleuve Potomac. Dans les années qui suivirent l'Indépendance américaine, le Congrès était plus ou moins nomade, se réunissant à Philadelphie, Baltimore, Annapolis, New York et plusieurs autres villes. Quand l'édification d'une statue de George Washington fut débattue en 1783, l'un des signataires de la Déclaration d'Indépendance, Francis Hopkinson, suggéra de la mettre sur roues pour suivre le Congrès dans ses pérégrinations. Philadelphie aurait alors pu devenir la résidence permanente des législateurs, si la même année, des soldats réclamant le paiement de leurs arriérés de solde n'avaient envahi le Congrès par surprise et que la réunion suivante avait dû avoir lieu à Princeton, par mesure de prudence.

Pendant ces années, le ressentiment des membres des Etats du Sud vis-à-vis d'une influence excessive du Nord s'accrut. Et les Nordistes détestaient la perspective d'un long voyage jusqu'à l'une ou l'autre ville du Sud. Toutefois, le Nord s'étant fortement endetté lors du combat pour l'Indépendance, Thomas Jefferson, alors Secrétaire d'Etat et le Secrétaire au Trésor Alexander Hamilton, qui étaient rarement du même avis, conclurent un marché: si les dettes des Etats étaient transférées au Congrès, la capitale serait établie sur le Potomac le plus au sud possible, le site exact devant être décidé par George Washington lui-même.

Choix du site

Washington opta pour un carré de 16 km de côté, en forme de diamant, situé en majorité sur la rive du Maryland, mais incluant aussi une portion située en Virginie (cette partie fut rendue à la Virginie en 1846, ce qui eut pour effet de détruire la symétrie).

*C'est dans l'imposante demeure de Mount Vernon que
Washington résida pendant plus de 50 ans.*

Etant donné les termes de l'accord, les raisons du choix de Washington sont claires. Le site incluait Alexandria, la ville la plus proche de sa propriété du Mount Vernon et incorporait Georgetown, au point extrême où la navigation maritime pouvait rejoindre le Potomac. Ainsi, la nouvelle capitale disposait de son propre port, une condition essentielle. Il y avait déjà des projets d'ouverture d'un canal pour contourner les rapides du fleuve et offrir une route marchande reliant les territoires plus à l'ouest. Plusieurs «Commissioners» furent appointés pour ce «Territory of Columbia» (le terme de district s'imposa plus tard), et ce furent eux qui annoncèrent le nom de la capitale: la ville de Washington.

Voir en grand

Le décor de l'inauguration de la première présidence, à New York, avait été conçu par un talentueux ingénieur français, Pierre Charles L'Enfant, un ancien combattant de la guerre d'Indépendance. Washington en fut visiblement impressionné, car il décida d'engager le jeune officier pour réaliser un projet d'aménagement de la nouvelle cité. L'Enfant étudia le terrain peu favorable et remit un schéma directeur d'une stupéfiante ambition. En effet, alors qu'à l'époque une population de 8 000 habitants était déjà considérable (seules six villes la dépassaient dans les nouveaux Etats-Unis), il imagina que celle de Washington atteindrait les 800 000.

Le projet de L'Enfant utilisait les petites élévations du terrain pour établir la résidence du président et le Congrès aux deux extrémités d'une large avenue, depuis lors nommée Pennsylvania. Il songea à cette solution non seulement pour les perspectives offertes, mais surtout pour les maintenir hors de la boue, une grande partie de la région étant notoirement marécageuse. Les deux bâtiments devaient servir de points de convergence sur lesquels déboucheraient d'autres avenues. Sur une troisième petite colline, où se tient à présent le Washington Monument, devait être placée une statue de Washington à cheval. A l'est et au nord de ce triangle, le reste du territoire devait être quadrillé de rues.

Le Français se mit au travail en 1791 et se heurta immédiatement à des difficultés. Les habitants commençaient déjà à construire des maisons en bois et des cabanes là où il désirait des perspectives dégagées. De cinglantes disputes éclatèrent entre «L'Enfant Terrible», au sang chaud, et ceux, dont certains influents en haut lieu, qui estimaient les Américains libres de bâtir là où ils l'entendaient. Un an seulement après qu'il eut commencé, ses désaccords avec les «Commissioners» avaient pris une telle ampleur que le président dut le renvoyer. Ce fut une tragédie pour l'ingénieur et pour la ville, mais heureusement plusieurs

Le très majestueux
Washington Monument.

Les Archives Nationales
préservent les trésors du pays.

éléments de son projet survécurent dans les années qui suivirent.

Les travaux pour ériger la résidence du président débutèrent et Washington posa la première pierre du Capitol en 1793. Les progrès furent lents, mais en 1800, il y avait suffisamment de bureaux pour permettre aux 126 fonctionnaires de déménager de Philadelphie. Le Congrès put se réunir dans l'aile tout juste achevée du Capitol, et John Adams put s'installer à la Maison-Blanche jusqu'au terme de son mandat de second président des Etats-Unis, en dépit de l'humidité et de l'inachèvement des travaux. Les autres n'étaient guère mieux lotis, le nombre de maisons confortables n'atteignant pas la dizaine.

Jefferson fut le premier président à prêter serment à Washington (1801), au cours d'une cérémonie dépourvue d'ostentation. Le siècle naissant générait des ambitions neuves pour la nation, mais sa capitale fut pourtant négligée. La «ville des distances magnifiques» de L'Enfant fut raillée comme une «capitale de cabanes misérables», et un «trou marécageux» par les membres du Congrès. Des voix discordantes ne cessèrent de suggérer le déménagement de la capitale mais aucun consensus ne put jamais s'établir.

Les Anglais allument un incendie

La guerre avec l'Angleterre reprit en 1812. En représailles contre les attaques américaines au Canada, des troupes anglaises sous le commandement de l'amiral Cockburn débarquèrent dans le Maryland et occupèrent Washington. Le 24 août 1814, les envahisseurs mirent le feu à la Maison-Blanche et à d'autres bâtiments fédéraux, y compris les deux ailes du Capitol. L'incendie n'épargna que les façades des immeubles, mais heureusement une pluie torrentielle tombée cette nuit-là limita les dégâts, même si la Maison-Blanche était déjà bien «noire». Chacun dut trouver un logement temporaire, mais l'indignation face aux Anglais renforça la solidarité patriotique autour de la capitale. Les tentatives de déménagement finirent par passer de mode, et seul l'essor du chemin de fer et du télégraphe leur porta un coup fatal. Quarante années de croissance au petit bonheur s'ensuivirent, pendant lesquelles furent ajoutés quelques grands bâtiments, mais à peine quelques aménagements.

La capitale de la guerre de Sécession

Les années 1850 virent la montée des tensions entre le Sud et le Nord. Le Sud, craignant une interférence avec l'institution de l'esclavage, insistait sur les droits des Etats vis-à-vis de l'Union. Le Nord était quant à lui déterminé à prévenir l'extension de l'esclavage dans les nouveaux Etats des territoires de l'ouest. En octobre 1859, l'abolitionniste John Brown se rendit à Harpers Ferry, en Virginie, pour soulever les esclaves contre leurs maîtres. Il fut pendu pour trahison, mais salué comme un martyr dans le Nord. Aux élections de 1860, les Démocrates se scindèrent entre le Nord et le Sud, et le candidat Républicain Abraham Lincoln, partisan de l'Union, fut élu président uniquement grâce aux votes des Etats nordistes. Le Sud fit alors sécession et forma les Etats Confédérés d'Amérique. La guerre éclata et Washington, située à la frontière entre l'Union et les troupes des Confédérés, se retrouva au centre des enjeux, aussi bien géographiquement que politiquement.

La guerre de Sécession fut déclenchée le 12 avril 1861, quand les troupes de Caroline du Sud firent feu sur la base fédérale de Fort Sumter. Les armées ennemies se rassemblèrent rapidement autour de Washington et de la capitale Confédérée, située à Richmond, en Virginie, à quelque 160 km au sud. La plupart pensaient que le conflit ne durerait pas, pourtant le cauchemar dura quatre ans et fit 600 000 victimes. Les troupes de l'Union ayant lancé plusieurs attaques pour prendre Richmond, et les Confédérés ayant tenté à deux reprises une percée au nord, dans l'arrière-pays de Washington, quelques-unes des plus grandes batailles se déroulèrent autour de la ville. Il arriva même que le Capitol fut utilisé comme hôpital pour les blessés. Les organisations gouvernementales proliférèrent et les bureaux s'entassèrent au petit bonheur. La population de la capitale doubla entre 1861 et 1865, incluant 40 000 esclaves fraîchement libérés. La prépondérance démographique et industrielle du Nord finit par prévaloir sur le Sud et son excellent commandement militaire. Après la perte de Richmond et devant l'état d'infériorité numérique et l'encerclement de ses troupes, le héros sudiste, Robert E. Lee, se rendit au chef nordiste, Ulysse S. Grant, le 9 avril 1865. Cinq jours plus tard, Lincoln était assassiné au Ford's Theater à Washington par un sympathisant des Confédérés.

En 1871, Ulysse S. Grant, désormais président, engagea une nouvelle équipe municipale pour Washington. Son administrateur, Alexander «Boss» Shepherd, mit tout en œuvre pour équiper la ville en rues, lampadaires et égouts qui avaient fait cruellement défaut depuis si longtemps. Lors du premier d'une série de programmes d'embellissement de Washington, d'innombrables arbres furent plantés. Ce faisant, le budget fut dépassé plusieurs fois et le Congrès reprit le contrôle des finances municipales, mais au moins les travaux étaient accomplis. Les plans de L'Enfant refirent surface en 1887 et il fut enterré une seconde fois avec tous les honneurs, à l'Arlington National Cemetery, en 1909. La fierté civique et nationale s'accrût. Les gens commencèrent à visiter les monuments et à examiner les documents qui racontaient l'histoire de la naissance des Etats-Unis.

Croissance, Dépression et New Deal

La Première Guerre mondiale contribua à un nouvel accroissement du nombre de fonctionnaires. Des immeubles de bureaux temporaires, qui restèrent en place durant des décennies, défiguraient le Mall. Pendant l'entre-deux-guerres, les diplomates considéraient Washington comme un poste difficile, dépourvu de tout éclat culturel. La dépression qui suivit le krach de 1929 entraîna des affamés et une «Bonus Army» d'anciens combattants à venir camper près de la Maison-Blanche. Ceux qui refusaient de partir furent chassés par les tanks et les gaz lacrymogènes de l'armée. Franklin D. Roosevelt devint président en 1933 sur la promesse d'un New Deal qui créerait des emplois grâce à un vaste programme de travaux publics. Ceci impliquait davantage d'emplois fédéraux, de groupes de pression et de cabinets d'avocats. Quand les Etats-Unis prirent part à la Seconde Guerre mondiale en 1941, le nombre d'employés et de bâtiments poursuivit sa croissance à vive allure. Il ne fallut que dix-huit mois pour construire les plus grands bureaux du monde, abritant 28 000 stratèges militaires au Pentagone.

Transformation

La victoire fut suivie de la Guerre Froide et de la chasse aux sorcières du sénateur McCarthy, lancée contre les communistes réels ou imaginaires. Les paisibles années 50, sous la présidence d'Eisenhower, virent la population noire de Washington dépasser les 50%.

Un mémorial dédié à «FDR» et à son fidèle compagnon.

La sombre pièce où la Cour Suprême rend ses arrêts.

En 1954, un arrêt de la Cour suprême ayant interdit la ségrégation raciale dans les écoles publiques d'Etat, Washington fut la première à obtempérer. L'édification du Kennedy Center mit fin aux lacunes sur le plan culturel et le président ainsi honoré et son successeur, Lyndon B. Johnson furent très soucieux d'améliorer la capitale. Pendant ce temps, Martin Luther King inspira la lutte des noirs américains pour la reconnaissance des droits promis un siècle auparavant. Son assassinat en 1968 et les émeutes qui suivirent laissèrent en ruine la majeure partie du quartier d'Old Downtown.

La population gagna alors la plupart des droits démocratiques des citoyens américains tel le vote aux élections présidentielles. En 1975, les habitants purent à nouveau élire un conseil municipal et un maire. L'année 1976 vit la célébration du Bicentenaire de la Déclaration d'Indépendance, ainsi que l'ouverture de la première ligne de métro. La plantation d'arbres et la percée de jardins ont pris un nouvel essor. Les quartiers ravagés du centre sont actuellement en voie de réhabilitation, autour du Convention Center. De vieux bâtiments ont pu être sauvés et affectés à un nouvel usage. De nouveaux musées et galeries se sont harmonieusement joints aux édifices du Mall. Aujourd'hui, le Washington des cérémonies officielles et de la culture ne s'est jamais mieux porté.

QUE VOIR

Par bonheur, la plupart des monuments de Washington sont concentrés dans une partie de la ville. Ils se trouvent pratiquement tous à l'intérieur du rectangle bordé à l'ouest par le Lincoln Memorial et la résidence Watergate, et à l'est par la Library of Congress et Union Station. Georgetown, au nord-ouest de cette zone, Dupont Circle, au nord de la Maison-Blanche et Arlington, au sud du Potomac, sont aisément accessibles.

Bien que le métro vous permette d'accéder aisément aux divers sites touristiques, il existe également un système de navettes Tourmobile, qui relie les monuments et musées entre eux. Vous pouvez y monter et en descendre à volonté en achetant un billet journalier. Les guides vous gratifient de commentaires dynamiques pendant le trajet. Cela vaut la peine, où que vous vous rendiez, de partir tôt, ne serait-ce que pour éviter les groupes d'écoliers.

LA MAISON-BLANCHE
(1600 Pennsylvania Avenue, NW)

Chaque jour, des milliers de touristes arpentent la maison de la première famille du pays. Les visites ont lieu le matin, de 10h à midi, du mardi au samedi, sauf si le protocole l'interdit. De septembre à mars, aucun billet n'est nécessaire (sauf peut-être pendant les vacances de Noël). Les visiteurs font la queue à la porte est de la Maison-Blanche, sur Executive Avenue. Au printemps et en été, des billets gratuits valables pour le jour même doivent être retirés auprès du Visitors' Center de la Maison-Blanche *(1450 Pennsylvania Avenue;* tél. 202-208 1631). Arrivez tôt, car pendant la haute saison, le contingent journalier de billets est souvent épuisé dès 8h30. Chaque personne a droit à quatre billets au maximum. Les citoyens américains qui en font la demande par écrit à l'un de leurs représentants au Congrès, et au moins trois mois à l'avance, peuvent obtenir un billet pour une visite spéciale avant 10h.

Si la Maison-Blanche nous semble si réussie, c'est parce qu'elle en est venue à représenter un symbole familier du pays. En fait, Pierre L'Enfant avait choisi son emplacement à l'autre extrémité d'une large avenue (maintenant Pennsylvania) partant du Capitol, mais l'extraordinaire perspective imaginée par L'Enfant fut gâchée en 1836, quand le président Andrew Jackson installa le bâtiment du Trésor juste à côté de la Maison-Blanche.

C'est à l'initiative de Thomas Jefferson qu'un concours national fut organisé pour concevoir la «maison du Président» (le terme de «Maison-Blanche», utilisé comme surnom avant 1814, ne fut officiellement reconnu par le Congrès qu'en 1902). Jefferson déposa lui-même un projet anonyme, qui s'inspirait de sa maison de Monticello, mais il fut battu par celui de James Hoban, d'origine irlandaise, qui s'inspirait des propriétés construites près de Dublin

Le système politique

Les Etats-Unis sont une république fédérale comprenant 50 Etats et le District of Columbia (DC). Là, fut établi la capitale, Washington. Le système politique est fondé sur la Constitution ratifiée en1789, et repose sur le bipartisme, se résumant à l'opposition entre deux partis: Démocrate et Républicain.

Les nominés de chaque parti s'affrontent tous les quatre ans dans une élection présidentielle. Le président est élu pour un mandat de quatre ans et peut être réélu une seule fois. Le Congrès se compose du Sénat (deux sénateurs par Etat) et de la Chambre des Représentants (435 membres, représentant chacun une circonscription plus ou moins proportionnelle à la taille de sa population). Les sénateurs sont élus pour six ans, les représentants pour deux, mais il n'y a pas de limite au nombre de leurs mandats.

Les différentes élections ne coïncident pas toujours, aussi il arrive que le président n'appartienne pas au parti qui contrôle le Congrès, ou qu'un parti contrôle le Sénat, et l'autre la Chambre.

par l'aristocratie de son temps. La demeure ne fut pas achevée à temps pour permettre à Washington de s'y installer, et son successeur John Adams ne put y passer que les quatre derniers mois de son mandat. Jefferson y séjourna huit ans et, après avoir déclaré que la Maison-Blanche était «assez grande pour loger deux empereurs, un Pape et le Grand Lama», il lui adjoignit, à l'est et à l'ouest, des terrasses et des pavillons. Par la suite, quasi chaque président y apporta des modifications. James Madison dut ordonner une complète reconstruction de la Maison-Blanche

La façade sud de la Maison-Blanche inondée de soleil.

après l'incendie déclenché lors de l'expédition britannique de 1814.

En 1948, après que l'épouse de Truman se fut aperçue que les pieds du piano s'enfonçaient dans le plancher et que les chandeliers se balançaient dangereusement quand on marchait à l'étage supérieur, une enquête démontra que la Maison-Blanche était à bout de souffle suite à ces innombrables transformations. Elle dut être totalement rebâtie, mais l'intérieur fut soigneusement démonté et entreposé avant d'être remonté pièce par pièce.

Les visiteurs rentrent par l'**East Wing**, après un exigeant contrôle de sécurité. Depuis la **Garden Room**, meublée en style chinois du début du XIXe siècle, vous apercevrez le jardin dédié à Jacqueline Kennedy. En longeant le couloir bordé du portrait des épouses de présidents, vous aurez peut-être l'occasion de jeter un coup d'œil sur l'une des pièces latérales: la bibliothèque, la pièce chinoise, la pièce Vermeil (ainsi nommée pour sa collection d'argenterie dorée), ou l'élégante pièce ovale servant aux réceptions diplomatiques, tapissée d'un papier peint français datant de 1834 et représentant des scènes de l'histoire américaine.

De retour dans le hall d'entrée, vous monterez les escaliers, comme si vous étiez invité à une réception officielle. En haut, à droite, se trouve la rutilante **East Room** décorée en blanc et or. La première dame du pays à vivre ici, Abigail Adams, y étendait son linge et la reconnaîtrait à peine aujourd'hui. C'est la plus grande pièce de la Maison-Blanche, où se tiennent les conférences de presse du président, des concerts, et les mariages de ses filles. Les couleurs avaient été choisies par l'épouse de Théodore Roosevelt, qui aimait y organiser des matches de boxe, et dont les enfants pouvaient y faire du patin ou du poney en cas de mauvais temps. Le portrait de George Washington (1796) par Gilbert Stuart fut sauvé par Dolley Madison lors de l'incendie de 1814.

Juste à côté, la **Green Room** était la salle à manger de Jefferson, qui aimait surprendre ses invités avec de nouvelles expériences culinaires, comme la crème glacée, les gaufres ou les macaronis. Depuis, elle sert de salon, particulièrement apprécié du président Kennedy. Un portrait de Martin montre Benjamin Franklin avec un buste de son héros, Isaac Newton. John et Abigail Adams furent peints par Gilbert Stuart.

La **Blue Room** est ovale, comme les pièces situées au-dessus et au-dessous d'elle, du fait du dessin incurvé du portique sud (Le célèbre Bureau Oval du président n'en fait pas partie. Il est situé plus loin dans la West Wing et n'est pas ouvert au public). Les chaises et le canapé dorés furent acheminés de Paris en 1817 par James Monroe. Une rangée de portraits présidentiels décore les murs. Cette pièce a surtout été utilisée comme salle de réception.

Dans la **Red Room**, les murs sont tendus de soie couleur rouge vif. Les portraits incluent celui de John James Audubon, le naturaliste et artiste, ici vêtu d'une peau de lapin.

La **State Dining Room** à l'air presque austère après cette débauche de couleurs. Elle paraît être de dimensions modestes, mais peut néanmoins accueillir 140 convives. Le portrait de Lincoln par George Healy, considéré comme l'un des plus ressemblants, fut en fait peint de mémoire et d'après des photographies, car l'artiste ne rencontra Lincoln qu'une seule fois.

A moins que vous ne soyez un invité du président et de sa famille, vous ne verrez pas les deuxième et troisième étages, réservés aux appartements de la famille et de ses hôtes. Plusieurs monarques ont dormi dans la Queen's Bedroom, et même Winston Churchill, que la Chambre de Lincoln ne satisfaisait pas.

En ressortant, vous passez à travers **Cross Hall**, couvert de portraits de présidents. Vous vous en irez par un hall en marbre et au portique nord vous pourrez vous faire photographier («Moi à la Maison-Blanche»). Faites le tour de la grille pour jouir de la vue la plus appréciée de l'extérieur de la Maison-Blanche, de l'autre côté de la South Lawn, d'où décolle l'hélicoptère présidentiel.

Autour de la Maison-Blanche

Flanquée du massif bâtiment néoclassique du Trésor sur un côté (est), la Maison-Blanche a hérité d'un voisin de l'autre côté (ouest). Il fallut 17 ans (1871–1888) pour ériger l'**Old Executive Office Building**, conçu comme remède de choc au manque dramatique d'espace où loger les organisations fédérales depuis la guerre de Sécession. Il fut appelé la «plus grande monstruosité d'Amérique» (par le président Truman, qui l'entendait comme un compliment) et salué comme trésor national. C'est en fait le style qui horrifia de nombreux critiques, déconcertés par ce bloc de style Second Empire, alors qu'ils s'attendaient à un temple grec de plus. Le bâtiment n'avait pas d'autre répondant architectural que la Renwick Gallery, de l'autre côté de Pennsylvania Avenue. La décoration y fut soignée jusqu'au moindre détail. Après avoir longtemps abrité les départements d'Etat, de la

L'extérieur de la Renwick Gallery est aussi intéressant à regarder que son contenu.

Guerre et de la Marine, l'édifice héberge désormais le personnel de la Maison-Blanche, le bureau du vice-président, ainsi que le Conseil National de Sécurité. Il est possible de faire une visite guidée le samedi matin, en appelant à l'avance (202-395 5895) pour réserver. Si vous vous intéressez à l'architecture ou aux arts décoratifs, la visite en vaut vraiment la peine. Les trois bibliothèques sont des joyaux de l'époque victorienne, surtout depuis qu'une restauration leur a restitué toute leur splendeur passée.

Signalétique:
entrance - entrée
exit - sortie

En face de l' O.E.O.B sur Pennsylvania Avenue, les maisons Blair et Lee sont réservées aux invités de marque du président. Les Truman vécurent à la **Blair House** pendant la reconstruction de la Maison-Blanche. Dans la **Lee House**, Robert E. Lee reçut le commandement de l'armée de l'Union au déclenchement de la guerre de Sécession. La **Renwick Gallery** (1859) propose des chefs-d'œuvre de l'artisanat américain ainsi que des expositions temporaires. Le bâtiment lui-même mérite une visite pour ses somptueux Grand Salon et Pièce octogonale, couverts de peintures (XIXe siècle) sentimentales, romantiques, et même légèrement érotiques. Il fut construit pour héberger la collection Corcoran, mais celle-ci, devenue trop importante, dut déménager à quelques pâtés de maison de là, sur 17th Street, dans la **Corcoran Gallery of Art**, toute de marbre blanc, en 1897 (voir p.65).

Lafayette Square fait face au côté nord de la Maison-Blanche. Ses pelouses sont un point de rassemblement traditionnel pour les manifestants désireux d'attirer l'attention du président (ou des médias). Des groupes variés s'y réunissent, tandis que quelques individus excentriques ou sans-abri dorment sous des tentes en plastique. Le cavalier en bronze au milieu représente Andrew Jackson, et non Lafayette, qui a été relégué dans un des coins.

Au coin nord-ouest, le contre-amiral Stephen Decatur, un héros maritime de la guerre de 1812, se fit construire une maison, la première sur la place. En 1819, sa femme et lui emménagèrent, mais moins d'un an après, il fut tué en duel par un officier rival. Dessinée par Benjamin Latrobe, **Decatur House** fut plus tard laissée aux ambassadeurs étrangers et aux secrétaires d'Etat américains. C'est, désormais, un musée qui abrite un mobilier ancien, ainsi que quelques-unes des possessions de Decatur.

Sur le côté nord de la place, l'église **Saint-Jean** (1815) due également à Latrobe, est devenue l'église de prédilection des présidents. C'était l'église la plus en vue et il fallait même, pendant un temps, payer un loyer pour y réserver son banc. L'intérieur est élégant; ne manquez pas le vitrail dessiné par un conservateur de Chartres ni le banc présidentiel, portant le n° 54.

En 1798, Washington était encore un village de cabanes dispersées et de chemins embourbés quand George Washington persuada son ami le colonel John Tayloe d'y faire construire, plutôt qu'à Philadelphie, son hôtel particulier. Il choisit un lotissement à l'angle de 18th Street et de New York Avenue, et William Thornton, le premier architecte du Capitol, dessina l'**Octagon** pour lui. En fait, il ne compte que six côtés au lieu de huit ! Le président Madison s'y installa après que les Anglais eurent incendié la Maison-Blanche et signa le traité de Gand, qui mit fin à la guerre de 1812, dans l'élégante pièce de forme circulaire qui surmonte le hall d'entrée.

De retour sur 17th Street, après la Corcoran Gallery, arrêtez-vous devant l'immeuble en marbre blanc de style néoclassique, la Croix Rouge américaine, puis, au nº 1776 (pas de coïncidence) de D Street, devant le siège des **Daughters of the American Revolution**. Les D.A.R., comme on les appelle, sont les femmes dont l'un des ancêtres s'est battu pour l'Indépendance américaine. Elles dirigent un musée dont les salles donnent un aperçu de la vie quotidienne américaine à différentes époques, mais sont surtout connues pour leur salle de réunion de 4 000 places, la meilleure salle de concert jusqu'à l'achèvement du Kennedy Center.

Finalement, tandis que vous vous approchez du Mall, jetez un coup d'œil à un bâtiment de 1910, l'**O.A.S. Building** (the Organization of American States). Ici, vous verrez une juxtaposition de motifs en provenance d'Amérique du Nord et du Sud: éléments aztèques, mayas, inca, ainsi que des bas-reliefs de Washington, Bolívar, et San Martín.

LE MALL

Du grand théâtre. Jugez plutôt: gravissez quelques marches du Lincoln Memorial et contemplez 3 km (500 m de large) de verdure magnifique, jusqu'au blanc éclatant du dôme du Capitol. Des gens font leur jogging dans tous les sens, comme s'il y avait un marathon permanent. D'autres pique-niquent, jouent au cerf-volant ou au Frisbee. Le week-end, se jouent des matches de football, de rugby et de softball (une variante du base-ball avec une balle plus légère). Des orchestres de lycée répètent tandis que les autocars déversent des flots de touristes enthousiastes. Cette arène, le Mall, est en outre bordée d'une incroyable série de musées.

Un étonnant assortement de sculptures orne le
jardin du Hirshorn Museum.

Si le Mall est aujourd'hui une merveille, il ne fut longtemps qu'un amas de boue encombré de piles d'ordures et de mares marécageuses. La compagnie de chemin de fer Baltimore & Ohio construisit des voies situées à l'emplacement actuel de la National Gallery of Art. Des bâtiments «temporaires» issus des deux guerres mondiales furent laissés dans un état précaire parfois pendant plus de vingt ans. Une partie seulement du Mall avait été goudronnée pour les voitures. Bref, il fallut beaucoup de temps avant de dégager cet ensemble harmonieux. Les présidents Kennedy et Johnson se battirent pour l'embellissement de la ville. Ainsi, les ordures furent enlevées, de nombreux arbres plantés et les principaux axes de circulation aménagés en sous-sol. Le résultat ne correspond pas tout à fait à la vision idéale de Pierre Charles L'Enfant, qui rêvait de Champs-Elysées à l'américaine, bordés de grandes demeures et d'ambassades, mais l'esprit en demeure.

Le majestueux **Washington Monument** en marbre blanc est le point dominant du Mall, en même temps qu'il symbolise la ville. Il n'est plus possible d'imaginer un autre monument à la place de cet obélisque haut de 169 m, qui incarne si parfaitement la noblesse de George Washington et qui, comme un phare, guide la nation toute entière. C'est aussi un point de repère idéal pour les touristes égarés. Vous devrez faire la queue pour prendre l'ascenseur qui mène au sommet, sauf peut-être pendant l'été au moment de l'ouverture (8h), ou de la fermeture (minuit). En dépit de la petite taille des fenêtres, la vue depuis le sommet est superbe. Le week-end, il est parfois possible de vous joindre à une visite guidée et descendre les 897 marches pour contempler les plaques commémorant les contributions faites par des groupes divers. D'importants travaux de rénovation, actuellement en cours, devraient être terminés pour les célébrations du 4 juillet 2000 (*Independence day*). Malgré les échafaudages extérieurs, l'intérieur du monument reste accessible aux visiteurs.

Le monument aurait pu prendre une autre forme. Suite à une compétition (1833), le projet gagnant de Robert Mills montrait un obélisque orné s'élevant depuis un édifice circulaire à colonnades décoré de statues. Le monument aurait eu l'air de l'unique bougie sur un gâteau d'anniversaire; heureusement, les restrictions budgétaires ont enterré le gâteau pour ne conserver que la bougie. Une souscription fut ouverte au public, et l'édification du seul obélisque commença en 1848. En 1854, les querelles politiques l'interrompirent à une hauteur de 49 m, où il demeura pendant 25 ans. En 1880, les ingénieurs de l'armée furent réquisitionés pour achever le monument, ce qui fut fait en 1884. Vous apercevrez une légère différence de coloration du marbre à l'endroit où les travaux reprirent. Le premier ascenseur, à vapeur, mettait 12 minutes pour atteindre le sommet, mais aujourd'hui il ne vous faudra que 70 secondes.

A l'ouest du Washington Monument, longez l'allée bordée d'arbres qui suit le bassin, long de 609 m et dans lequel se reflète le **Lincoln Memorial**, un temple néoclassique d'après le

Parthénon. Les attentes des visiteurs ne seront pas déçues par ce lieu inspiré. Le seizième président, considéré comme le sauveur de l'Union avant de devenir un martyr juste après sa victoire dans la guerre de Sécession, est particulièrement estimé et son mémorial est révéré comme nul autre. C'est un extraordinaire amalgame d'architecture, de sculpture et de symbolisme. Après 50 ans de querelles intestines, le Congrès finit par choisir un site, «dignement isolé de tous les autres», comme il fut spécifié. Les marais durent être asséchés, et un remblai créé. En 1922, le mémorial était enfin fini, et la longue attente récompensée.

Les 36 colonnes doriques, dessinées par Henry Bacon, représentent les Etats de l'Union au moment de la mort de Lincoln. La statue de Lincoln assis, en marbre blanc et haute de 5,80 m, fut réalisée par Daniel Chester French en 13 ans. Elle semble remplir l'espace, mais communique plus un sentiment de compassion et de contemplation que de puissance. Seule la main gauche serrée exprime une tension. Si vous pouvez, essayez de vous y rendre au petit matin et d'y revenir en soirée. L'éclairage, de date plus récente, est dramatique, comme si les plaques de marbre sur le toit, graissées à l'huile de paraffine pour les rendre translucides, ne mettaient pas suffisamment en relief le visage de Lincoln.

Inscrits sur les murs à l'intérieur, les mots célèbres résonnent avec l'intensité d'une musique familière aux Américains. A droite de l'en-

Gros plan sur le solennel Lincoln Memorial.

trée, se trouve le second discours d'investiture, et, à gauche, la Gettysburg Address: «*that government of the people, by the people, for the people shall not perish from the earth*» (que le gouvernement du peuple par le peuple et pour le peuple ne disparaisse pas de notre terre).

 Non loin de là, en direction du nord-est, se trouve, dans les jardins de Constitution Gardens, le **Vietnam Veterans Memorial**. Sceptiques au début, les Américains ont fini par être touchés par ce mémorial, qu'ils visitent par millions. Ce mur de granit noir poli, en forme de V, porte les noms de quelque 58 000 victimes ou portés disparus. A côté de chaque nom parfaitement gravé (inscrit dans l'ordre chronologique de la disparition) se trouve une petite croix indiquant un porté disparu, ou un diamant pour ceux dont la mort a été confirmée.

Un groupe d'anciens combattants fit campagne pour l'érection d'un mémorial, et le site fut approuvé par le Congrès en 1980. Le

Les visiteurs du Vietnam Memorial peuvent relever l'empreinte du nom d'un proche disparu.

concours attira 1421 projets. Le vainqueur fut une étudiante de l'université de Yale, Maya Ying Lin, âgée de 21 ans, et dont les parents avaient émigré de Chine. «Les noms deviendraient le mémorial» affirma-t-elle, et il n'y a pas d'autre inscription.

Un certain nombre de rituels émouvants se sont développés autour du mur de granit indien, haut de 75 m. Ainsi, amis et membres de la famille laissent des messages, des photographies, des jouets et des badges. Tous ces objets sont collectés par les gardiens pour être catalogués et entreposés dans un musée, à l'exception des fleurs et des drapeaux sans inscription. Chacun aime toucher la surface aussi lisse qu'un miroir.

Le message du monument est douloureusement triste, à l'image de cette guerre controversée. Toutefois, certains anciens combattants, déçus, ont réclamé une commémoration plus traditionnelle. Peu de temps après l'inauguration du mur en 1982, le Memorial Fund dut ajouter les sculp-

> **Les mots clés:**
> **Quoi? - *What?***
> **Où? - *Where?***
> **Quand? - *When?***
> **Qui? - *Who?***
> **Quel, quelle, quels, quelles? - *Which?***

tures figuratives et le mât de drapeau qui se tiennent désormais à côté. Le groupe des trois jeunes gens au combat, œuvre réaliste de Frederick Hart, fut achevé en 1984.

Devant le Lincoln Memorial, vous trouverez le **Korean War Veterans Memorial** (1995) où se trouvent, grandeur nature, 19 sculptures en inox de soldats lourdement armés se dirigeant vers un drapeau américain. Sur ce mur noir en granit doté de l'inscription «Freedom is not Free» (la liberté n'est pas sans prix), se trouvent 2500 gravures qui représentent les infirmières, aumôniers, chefs d'équipages, mécaniciens et autre personnel auxiliaire aux troupes ayant participé au conflit. Tout près, un drapeau se dresse au milieu d'un plan d'eau circulaire. Il s'agit d'un monument vivant à la gloire de tous ceux qui ont pu rentrer chez eux et des 55 000 soldats américains qui n'ont pas eu cette chance.

☛ Le Capitol *(Capitol Hill)*

A l'extrémité orientale du Mall s'élève une petite colline, Capitol Hill. L'Enfant l'appelait «un piédestal attendant un monument». A l'endroit précis qu'il avait choisi, se tient le majestueux Capitol, ou «Maison du Congrès» comme il l'appela alors. Couronnant son site élevé, le Capitol de Washington est visible de presque tous les endroits de la ville jusqu'au périphérique, pourtant assez éloigné.

Le projet initial du Capitol avait distingué un amateur doué, William Thornton, mais le finaliste du concours fut engagé pour superviser la construction, ce qui ne manqua pas de provoquer des frictions. George Washington en personne posa la première pierre en 1793. Les esquisses de Thornton présentaient un dôme aplati de faible hauteur, mais au fur et à mesure que la nation s'agrandissait, un plus grand bâtiment en bois et en cuivre fut construit. Finalement, le sentiment national réclama une version encore plus baroque, inspirée par Saint-Pierre de Rome et les Invalides à Paris et plus de 4 000 tonnes de fer forgé (une utilisation révolutionnaire de ce matériau pour l'époque) furent acheminés entre 1851 et 1863. L'architecte Thomas Walter fut aidé de l'infatigable Montgomery C. Meigs et de ses ingénieurs de l'Armée américaine, qui plus tard achevèrent le Washington Monument et bâtirent l'Old Pension Building. On suggéra à Lincoln d'interrompre le chantier pendant les affres de la guerre de Sécession mais il objecta: «si le peuple voit la construction du Capitol aller de l'avant, c'est un signe que nous avons l'intention de voir l'Union aller de l'avant».

Placée au sommet du dôme en 1863, la statue de la Liberté, haute de 5,80 m, aurait pu ne pas voir le jour. Les premiers dessins du sculpteur Thomas Crawford la représentaient vêtue du bonnet phrygien, à l'instar des esclaves romains affranchis et des révolu-

La façade ouest du Capitol sert de toile de fond au traditionnel arbre de Noël municipal.

tionnaires français. Jefferson Davis, membre du premier gouvernement Lincoln, le considérant comme une incitation pour les esclaves du Sud à se révolter, Crawford opta pour un bizarre casque à plume. Il travaillait alors à Rome et envoya un moule en plâtre de sa création par bateau (il mourut peu après). Le bateau, quant à lui, fut pris dans une tempête et une grande partie de sa cargaison fut sacrifiée pour l'alléger. Mais pas la Liberté. Elle se trouvait toujours à bord quand le navire atteignit péniblement les Bermudes, et fut expédiée à Washington pour être coulée en bronze. Paraissant drapée d'un couvre-lit et toute brillante de son éclairage électrique, elle a meilleure allure de loin, sur son perchoir qui, incidemment, bouge en petits mouvements circulaires, au fur et mesure que la chaleur du soleil dilate le grand dôme d'acier.

On pénètre au Capitol par le côté est. L'aile nord abrite le Sénat et l'aile sud la Chambre des Représentants. L'ensemble paraît si familier et harmonieux qu'il est difficile d'imaginer qu'il résulte d'extensions successives sous l'autorité d'architectes différents. La dernière (entre 1960 et 1962) a substitué un nouveau portique central ainsi que les marches que vous gravissez aujourd'hui.

Le Capitol se dresse derrière des massifs d'azalées en fleurs.

Il fut un temps où les visiteurs pouvaient déambuler librement dans l'édifice, et c'est encore possible dans certains endroits, une fois franchi le contrôle de sécurité à l'entrée (notez les massives portes en bronze moulées à Munich en 1861). Vous arrivez d'abord dans la vaste **Rotonde**, haute de 55 m et large de 29. Des visites guidées d'une durée de 45min partent d'ici. En attendant, une peinture située en haut du dôme ne manquera pas d'attirer votre regard. Il s'agit d'une fresque plutôt étrange, l'*Apothéose de George Washington,* qui aurait peut-être embarrassé son modèle. L'artiste d'origine italienne Constantino Brumidi, qui demeura au Capitol pendant 25 ans, acheva cette œuvre en 11 mois en 1865, en utilisant la technique d'application de peinture sur du plâtre humide, comme Michel-Ange à la Chapelle Sixtine, mais pas avec le même succès. Washington est au centre, glorifié par la Liberté et la Victoire, et entouré de 13 jeunes filles revêtues de robes, représentant les 13 Etats de l'Union. Sur le bord, différents ensembles allégoriques incluent Minerve, déesse de la Raison, Benjamin Franklin et Samuel Morse (l'inventeur du code). La Liberté en armes, au-dessous de Washington, est un portrait de la femme de l'artiste.

En 1877, à l'âge de 72 ans, Brumidi commença la frise mono-chrome longue de 91 m qui court le long des murs de la Rotonde à une hauteur de 18 m environ. Tout en imitant l'effet de sculpture, il s'agit également d'une fresque, qui représente des scènes de l'his-toire américaine, en commençant par Christophe Colomb. Au tiers de l'exécution, l'artiste fit une chute. Pas jusqu'en bas, heureuse-ment, puisqu'il parvint à se retenir à l'échafaudage en attendant de recevoir de l'aide. Il ne se remit toutefois jamais complètement du choc, et la frise dut être achevée par un de ses élèves. Les 9 derniers mètres restèrent vierges jusqu'en 1953, lorsque Allyn Cox ajouta trois autres panneaux: la guerre de Sécession, la guerre His-pano-américaine et le premier vol des frères Wright en 1903.

Les meilleures peintures accrochées aux murs sont celles de John Trumbull, décrivant des événements de la guerre d'Indépendance dans laquelle il combattit en personne. Les autres sont des curiosités qui doivent plus à l'imagination des artistes qu'à l'histoire. Le milieu de la Rotonde est le centre symbolique de la ville: les numéros de rues et les lettres débutent à partir de ce point zéro. Les corps de nombreux anciens présidents ou d'autres citoyens distingués y ont été exposés solennellement.

A côte de la Rotonde sur le côté sud, **Statuary Hall** ploie sous les bronzes et marbres représentant les célébrités originaires des 50 Etats, sculptées par leurs artistes locaux. Chaque Etat fut invité à contribuer deux statues, et les résultats allaient du charmant au ridicule, mais chaque statue pesait son poids. La collection déborde désormais le long des couloirs et jusqu'aux étages inférieurs. Cette pièce semi-circulaire abrita la Chambre des

> **Signalétique:**
> *admission* - droit d'entrée
> *no cameras allowed* -
> interdiction de photographier

Représentants de 1807 à 1857, sauf pendant les réparations imposées par l'incendie de 1814. Par terre, une plaque marque l'endroit où John Quincy Adams s'asseyait, et où il succomba à une attaque cérébrale. Le seul président à avoir siégé à la Chambre après son mandat, il passait pour avoir découvert que l'acoustique particulière du lieu lui permettrait d'espionner des conversations à travers la pièce. Tenez-vous sur la plaque pendant que le guide, placé au bon endroit, chuchote et vous verrez qu'il avait raison.

Dans la crypte située au-dessous de la Rotonde et de Statuary Hall, de remarquables photographies prises entre 1857 et 1865 montrent le Capitol avec son ancien dôme, sans dôme, et les étapes de la construction du dôme définitif. On espérait que George Washington serait enterré ici et un espace fut réservé pour son tombeau sous la crypte, mais son testament de 1799 spécifiait l'érection d'un caveau familial à Mount Vernon, où il fut finalement inhumé. En dépit de résolutions adoptées par le Congrès, son petit-neveu refusa le déménagement de sa tombe.

Dans l'aile nord, la première partie à être construite, un vaste hall semi-circulaire abritait le Sénat. En 1810, il fut divisé en deux niveaux. Le niveau supérieur, le plus élégant, inspiré d'un amphithéâtre grec, fut réservé au Sénat: l'**Old Senate Chamber**. L'atmosphère plus intime des pièces du bas fut réservée à la Cour Suprême: l'**Old Supreme Court Chamber**, d'où Samuel Morse envoya le premier message télégraphique à Baltimore en 1844. Les deux niveaux ont été restaurés pour leur redonner leur apparence des années 1850. Regardez les colonnes de la petite rotonde située à l'extérieur. Au lieu de l'acanthe, leurs chapiteaux corinthiens représentent des plantes du nouveau monde qui stimulèrent le démarrage de l'économie américaine: des feuilles de tabac et des épis de maïs.

Quand le Congrès n'est pas en session, il est possible de faire une visite (guidée) et de voir les 2 chambres (**Senate** et **House chambers**). Mais tout visiteur à Washington rêve de voir le Sénat et la Chambre en action. Les citoyens américains peuvent obtenir un laissez-passer en en faisant la demande à l'avance auprès de leur sénateur ou de leur représentant. Quant aux étrangers, ils doivent présenter leur passeport (qu'ils doivent conserver en permanence sur eux de toute façon) aux bureaux de l'huissier du Sénat ou du concierge de la Chambre à l'étage supérieur, d'où l'on accède aux galeries.

Vous serez impressionné par l'élégante simplicité des deux Chambres. Les 435 membres de la Chambre des Représentants n'ont pas de place réservée sur les rangées circulaires de bancs. Le Président de la Chambre ou son adjoint préside. Dans la chambre du Sénat, plus petite, les sénateurs ont leurs propres bureaux disposés en demi-cercle. Ceux dont l'élection est la plus récente siègent dans le fond. C'est le vice-président des Etats-Unis qui assure la présidence du Sénat, mais il reste rarement après l'ouverture des débats (vers midi) et est relayé par un jeune sénateur. Attendez-vous à être déçu par le déroulement des

Les débats à la Cour Suprême se déroulent sous le regard vigilant de l'autorité de la Loi.

débats, car en général seul un petit nombre de membres sont présents et ils lisent des discours préparés à l'avance.

Dans chaque Chambre, vous croiserez de jeunes huissiers tout affairés au service des élus, et des journalistes accrédités dont les magnétophones ne laissent pas s'échapper la moindre parole. Toutefois, la majorité du travail au Congrès (et le lieu véritable où sont débattus les enjeux), se passe dans les différents «Committees», qui se réunissent le matin. La plupart sont ouverts au public, et vous pourrez connaître l'emploi du temps du jour en consultant la rubrique du *Washington Post* intitulée «Today in Congress.»

Au sous-sol du Sénat, un **train souterrain** spécial se rend dans les trois bureaux du Sénat situés au nord du Capitol. Vous aurez autant de chances d'y croiser un sénateur que dans la Chambre.

Marchez à travers les superbes jardins jusqu'aux escaliers est, qui font face au Mall. Depuis leur sommet, vous jouirez d'une des meilleures vues de la ville. En bas, se tient la plus belle statuaire de Washington, le **Grant Memorial**. Aucune grandiloquence pour cette célébration de la victoire dans la guerre de Sécession. Le général semble s'effondrer sur sa selle, peut-être préoccupé par les pertes et les difficultés endurées. Sur ses flancs, la cavalerie au nord et l'artillerie tirée à cheval au sud, expriment le désespoir et le tragique de la bataille avec un réalisme poignant. Le sculpteur, Henry Shrady, mourut juste avant l'inauguration de cette œuvre (1922), dont la réalisation s'étala sur 21 ans.

Juste à côte, le Jardin Botanique (*à l'angle de 1st Street et Maryland Avenue*) est une grande serre remplie d'orchidées et d'autres espèces exotiques.

La Cour Suprême *(1st et E. Capitol Street, NE)*

La Cour fait face au Sénat, dans un spectaculaire temple en marbre. Achevé en 1935, après la mort de son architecte, Cass Gilbert, il aurait dû perdre de son éclat avec les années, mais il n'en a rien été.

La cour suprême est une institution remarquable: elle peut déclarer illégales une action présidentielle ou une loi adoptée par le Congrès, et a le pouvoir de les annuler. La Cour est le gardien et l'interprète de la Constitution. Elle décide «ce qu'est la loi», comme le disait John Marshall (président de 1801 à 1835) dont la statue domine le hall d'entrée. Le président nomme les juges et le président de la Cour suprême, avec l'approbation du Sénat. Ils sont nommés à vie, aussi, les effets d'une nomination sont encore perceptibles longtemps après le départ d'un président. En fait, l'histoire des Etats-Unis ne compte qu'une centaine de juges, et beaucoup moins de présidents de la Cour que de présidents de la nation.

Les neufs juges se réunissent à 10h précises tous les lundis, mardis et mercredis, deux semaines par mois, d'octobre à mai ou juin. Si vous désirez assister à ces sessions, faites la queue à partir de 9h30, mais si une affaire passionne l'opinion publique, il risque d'être déjà trop tard.

Si vous assistez aux auditions de la Cour suprême, vous serez frappé du caractère informel, après la solennité de l'ouverture. Les juges se balancent sur leurs sièges en cuir tout en discutant et le jargon juridique est presque inexistant. Dans une affaire, chaque partie dispose de 30 minutes pour exposer ses arguments, temps qui peut être réduit du fait des interventions et des questions des juges. Quand la Cour fait relâche, vous pourrez faire une visite du bâtiment qui inclut la Cour elle-même. Il y a toujours des rideaux aux fenêtres pour éviter le reflet aveuglant de la lumière sur le marbre, mais les colonnes en marbre coloré divertissent l'œil. En sortant, regardez le fronton au-dessus de l'entrée principale. Des silhouettes revêtues de toges y représentent des personnages réels, du président de la Cour, Marshall, jusqu'à l'architecte Gilbert lui-même.

☛ Library of Congress
(1st Street et Independence Avenue, SE)

A l'origine, il s'agissait d'une petite collection d'ouvrages de référence, réservée aux membres du Congrès. Après qu'elle fut détruite par le grand incendie de 1814, Thomas Jefferson vendit ses 6487 livres à la nation. Il avait besoin d'argent, et le Congrès

avait besoin d'une bibliothèque. Aujourd'hui, riche de 100 millions d'articles (livres, journaux, cartes et photographies), la collection est la plus grande du monde.

Le manque d'espace a toujours été un problème. Le Congrès avait organisé un concours pour un nouveau bâtiment en 1873 mais ter-

La grande entrée de la Library of Congress est caractérisée par la magnificence.

giversa pendant des années. On proposa même de rehausser le dôme du Capitol, à peine achevé après des années de travail, pour y insérer une bibliothèque. Finalement, en 1897, le nouvel édifice fut achevé, situé de l'autre côté de Capitol Plaza, en face de la Chambre. Cette opulence victorienne a suscité de vives critiques jusqu'à très récemment.

Avant d'emprunter les escaliers monumentaux, ne manquez pas le spectacle de la **Fontaine de la Cour de Neptune**, dont les naïades et autres créatures marines sont autant de jets d'eau. Les clefs de voûte des fenêtres du second étage représentent toutes les races, depuis les Ainu jusqu'aux Zoulous. Le **hall d'entrée** est serti de mosaïques, de médaillons, de marbres multicolores et de vitraux. On accède par une galerie à la somptueuse Salle de Lecture octogonale. Parmi les trésors de la bibliothèque, on trouve l'une des trois copies de la Bible de Gutenberg, le premier livre composé en caractères d'imprimerie, le brouillon de la Déclaration d'Indépendance de Jefferson et le Gettysburg Address de Lincoln. Optez pour une visite guidée pour voir les coulisses de la bibliothèque, le Thomas Jefferson Building et le James Madison Memorial Building (1980, sans style particulier, au sud).

Derrière la bibliothèque, se tient la **Folger Shakespeare Library** *(201 E. Capitol Street, SE)*, consacrée à l'obsession d'un collectionneur américain. Henry Clay Folger n'était pas né riche, mais il devint le directeur de la compagnie Standard Oil Company of New York (qui porte aujourd'hui le nom de Mobil). Il put ainsi consacrer des moyens toujours plus importants à sa passion pour Shakespeare, qu'il découvrit comme étudiant dans les années 1870, puis approfondit en compagnie de sa femme Emily, professeur de littérature anglaise. Il finit par acquérir 79 des folios originaux, soit le Graal pour un collectionneur de Shakespeare. Il acheta également tous les livres que Shakespeare pouvait avoir lus.

A la recherche d'un emplacement pour sa collection, Folger acheta discrètement un terrain situé derrière la Library of Con-

gress. La première pierre fut posée en 1930 mais il mourut malheureusement avant l'achèvement des travaux. Le bâtiment est
hybride mais le résultat est beau, combinant un extérieur de
forme classique décoré de détails Art déco et de sculptures de
personnages shakespeariens, et un intérieur de style élisabéthain
(notamment le **long hall**) où sont exposés manuscrits, programmes et autres raretés. Ne manquez pas le **théâtre**, un pur
joyau avec ses galeries à haute charpente, qui présente régulièrement des pièces, qui ne sont pas toutes de Shakespeare.

Federal Triangle

L'ensemble d'immeubles gouvernementaux, coincé entre Pennsylvania et Constitution Avenue, n'est pas réservé qu'aux fonctionnaires, puisqu'au sous-sol du Ministère du Commerce se
trouve, contre toute attente, le **National Aquarium**.

Si vous avez faim, chaud ou tout simplement mal aux pieds,
rendez-vous au **Old Post Office** (1899), à l'angle de 12th Street et
de Pennsylvania Avenue, NW. Dans cette ancienne poste, vous
trouverez littéralement de tout, sauf des timbres, qui s'achètent,
eux, en face. Son style roman victorien chargé jure par rapport au
classicisme de ses voisins, et n'a pu être sauvé de la destruction
que grâce à une campagne vigoureuse. La cour intérieure abrite
un atrium tout en hauteur et surmonté d'une verrière. Des petites
boutiques, des restaurants et des fast-foods occupent les étages
inférieurs. Vous pourrez généralement voir un spectacle gratuit à
l'heure du déjeuner, tout en dévorant un poulet au curry, des
huîtres ou une glace. L'ascenseur en verre vous mènera au 12e
étage pour jouir de la vue qu'offre la tour de l'horloge (96 m). Ne
manquez pas de descendre les escaliers situés derrière les Cloches
du Congrès; il s'agit de répliques de celles de l'abbaye de Westminster reçues en cadeau au moment du Bicentenaire de 1976.

Les documents originaux de la Déclaration d'Indépendance de
1776, de la Constitution et du *Bill of Right*s sont conservés aux

Archives Nationales, à l'angle de 9th Street et de Pennsylvania Avenue, près de l'angle aigu du Federal Triangle. Ces trésors usés par le temps sont désormais conservés dans des caissons de verre remplis d'hélium et, contrairement aux premières années, les visiteurs n'ont plus le droit de les toucher. De moins nobles paroles vous attendent si vous vous rendez dans l'annexe. Là, vous pourrez entendre les tristement célèbres cassettes du Watergate sur lesquelles le président Richard Nixon et ses sbires jurent et complotent.

La tristement célèbre loge du Ford's Theater, où Lincoln fut assassiné.

AUX ALENTOURS DU MALL

Old Downtown

L'exode vers les banlieues a laissé les quartiers d'affaires et les centres commerciaux d'un important nombre de grandes villes américaines en piteux état. A Washington, il s'agissait du quartier délimité par la Maison-Blanche et Union Station, une sorte de diamant compris entre Pennsylvania, New York, Massachusetts, et Louisiana Avenue. Mais la cote du quartier remonte. Pareil emplacement a trop de valeur pour ne pas être réhabilité.

Commencez à l'endroit où Pennsylvania Avenue, une fois passé le Trésor, mène tout droit au Capitol. Le **Willard Hotel**, qui fut autrefois le plus célèbre de la ville, connut des jours sombres quand les émeutes de 1968 éclatèrent. Situé «à un jet de pierre» de la Maison-Blanche, l'hôtel fut alors condamné. Quelques années et quelques millions de dollars plus tard, l'hôtel a recouvré son opulence du début de siècle. Faites un tour dans l'entrée et dans la «Peacock Alley», où s'affichait toute la haute société. Le bar panoramique du Washington Hotel voisin vous procurera la meilleure vue du quartier.

De l'autre côté de Pennsylvania Avenue, **Pershing Park** offre aux visiteurs des espaces ombragés où se reposer, tout en observant les canards s'ébattre sur un lac converti, l'hiver, en patinoire. Au milieu de l'avenue, **Freedom Plaza** est pavée d'un énorme motif en marbre et granit représentant le plan des rues de Washington par L'Enfant. Certains détails reproduisent fidèlement l'original, ainsi la largeur exacte des rues pavées ou des allées de fiacre. Vous pourrez aussi lire les commentaires de gens célèbres sur Washington.

Le **Ford's Theater** *(511 10th Street, NW, entre E et F Street)*, où eut lieu l'assassinat d'Abraham Lincoln la nuit du 14 avril 1865, fut fermé immédiatement après et converti en bureaux du gouvernement. C'est désormais un monument national, restauré méticuleusement d'après des dessins, photos et témoignages de l'époque pour reproduire le décor de cette nuit fatale. Depuis 1968, il présente à nouveau des pièces de théâtre.

Cinq jours après que la reddition de Lee à Appomattox eut scellé la victoire de l'Union dans la guerre de Sécession, le président, sa femme et leurs invités se détendaient dans leur loge, parée du drapeau national, en regardant une comédie, *Our American Cousin*, quand John Wilkes Booth, acteur célèbre et sympathisant des Confédérés, fit irruption et tua Lincoln. Booth fit un bond de quelque 4 m sur la scène et, en dépit d'une jambe cassée, parvint à s'échapper. Il fut cependant abattu à son tour 12 jours plus tard.

Une partie du mobilier d'époque a été conservée dans la loge. Au sous-sol, il y a un **Musée de la vie de Lincoln**... et de sa

*Le gigantesque J. Edgar Hoover Building, siège du FBI,
occupe un pâté de maisons tout entier.*

mort, puisque vous y verrez le manteau, les chaussures et les
gants qu'il portait au moment où il reçut le coup fatal ainsi que le
pistolet Derringer de Booth.

Lincoln fut transporté de l'autre côté de la rue, au nº 516, à
Petersen House. Bien que la Maison-Blanche était à moins d'un
kilomètre de là, le trajet sur des routes non pavées était à éviter.
Dans la petite chambre, son grand corps de 1,93 m dut être
allongé sur le lit en diagonale. Le docteur Charles Augustus
Leale, qui était dans le public, examina la blessure au visage et la
déclara sans espoir. Le président mourut à 7h22 le lendemain
matin. L'oreiller ensanglanté en est le seul témoignage original.

Si le **Federal Bureau of Investigation** (FBI) avait existé à
l'époque, ses agents n'auraient pas laissé échapper Booth si facile-
ment. Visitez leur imposant siège, qui occupe un pâté de maisons
entier *(entre 9th et 10th Street d'une part, E Street et Pennsylvania
Avenue, NW, d'autre part)*. De charmants guides vous introduiront

à leur collection de quelque 35 000 armes tout en vous inondant de statistiques. Le FBI compte 36 000 identifications d'empreintes par jour, et un demi-millon de recherches par ordinateur à la demande des autorités américaines ou internationales. Vous pourrez examiner les photos des dix criminels les plus recherchés pour voir si vous en connaissez un. C'est arrivé une fois à de jeunes mariés, qui ont reconnu leur voisin de palier! Vous aurez un aperçu des laboratoires d'analyses scientifiques et apprendrez ce que sont les *secretors*. Vous accéderez au guichet pour la visite par E Street, et la file d'attente peut être longue. L'immeuble a pris le nom de J. Edgar Hoover, qui régna sur le FBI pendant 48 ans, jusqu'en 1972.

Au 901 de G Street, la **Martin Luther King Memorial Library** est le seul immeuble de Washington qui soit issu des dessins de l'architecte Mies van der Rohe.

Area code - indicatif, Zip code - code postal

Pour insuffler de la vie dans le quartier du centre, le **Washington Convention Center** a été ouvert en 1983 *(entre 9th et 11th Street, NW, New York Avenue et H Street)*. Hôtels et salons d'exposition s'y sont greffés depuis, attirant boutiques et restaurants dans le quartier. L'arche colorée est un cadeau de la ville de Pékin fait en 1986, et préfigure le petit **Chinatown** de Washington, situé entre H et I Street, NW, de 5th à 8th Street.

L'**Old Pension Building** *(F Street, NW, entre 4th et 5th Street)* abritait à l'origine l'administration des pensions destinées aux veuves et blessés de la guerre de Sécession. Derrière ce nom terne se cache une véritable splendeur. L'architecte, le général Montgomery C. Meigs, était cet ingénieur de génie qui posa finalement le Dôme sur le Capitol. Le long des murs, une frise longue de 366 m représente des soldats en terre cuite, à pied, à cheval ou ramant dans une procession sans fin. Mais c'est le vaste intérieur qui est à vous couper le souffle. Les huit colonnes corinthiennes, les plus grandes jamais érigées, se composent chacune de 70 000 briques, recouvertes de plâtre et de peinture. On disait que seuls

Pas besoin de devoir prendre le train pour visiter Union Station, récemment rendue à sa splendeur passée.

un bal d'investiture présidentielle ou une tempête pourraient combler l'espace. Il y a eu de nombreux bals, la tempête se fait encore désirer. A l'instar de nombreux autres bâtiments possédant un style à part, celui-ci a souvent été menacé de démolition, mais depuis qu'il abrite le **National Building Museum**, il se trouve à l'abri des démolisseurs.

Union Station

Si beaucoup de leurs employés prennent le métro, peu de membres du Congrès empruntent de nos jours la direction de Union Station, située à moins d'un kilomètre au nord-est du Capitol, pour prendre le train. C'est bien dommage, car la gare de Washington, symbole de l'ère du chemin de fer, a été littéralement ressuscitée.

Achevée en 1908, son entrée de granit rappelle l'Arc de Constantin à Rome. Des citations d'auteurs classiques sont inscrites sur ses panneaux supérieurs. Sur l'esplanade semi-circulaire, au premier plan, Christophe Colomb se tient à la proue de son navire, guettant la terre. L'intérieur élancé s'inspire des Bains de Dioclétien, et les dépasse en majesté.

A la fin des années 60, l'essor du trafic aérien avait sérieusement mis à mal les anciennes compagnies de chemins de fer, répondant aux noms romantiques de Richmond, Fredericksburg et Potomac. Union Station était mal tenue et les rues alentour peu sûres. Le Congrès gaspilla alors des millions pour convertir la gare en Office du tourisme pour le Bicentenaire. Ce fut un échec cuisant et la gare a depuis été restaurée (1988). Même si vous n'avez pas de train à prendre, ne ratez pas cette gare et les boutiques et restaurants ethniques au sous-sol.

Au sud du Mall

Une fois les marais asséchés et les infiltrations d'eau jugulées, il ne subsista, entre le Potomac et le milieu du Mall, qu'une mare longue de quelque 800 m, appelée le **Tidal Basin**. Vous pouvez louer un pédalo à l'heure, ce qui suffira amplement pour faire le tour du bassin et épuiser vos mollets. Ce serait, en fait, le moyen idéal d'arriver au **Jefferson Memorial**, dont le portique classique fait face au Tidal Basin. Avant de rendre votre pédalo, profitez au moins de la vue. Vous pouvez aussi vous rendre à ce monument de façon plus conventionnelle, car les navettes Tourmobile y font étape.

Le monument au troisième président, d'un blanc virginal, se tient à la pointe de East Potomac Park, qui est pratiquement une île, depuis 1943. Son dessin (par John Russell Pope, l'architecte de la National Gallery of Art) fait écho à Monticello, ville natale de Jefferson, ainsi qu'à l'université de Virginie. Ce mémorial est situé à la quatrième extrémité d'une croix formée par le Capitol, la Maison-Blanche et le Lincoln Memorial. Le choix du site provoqua les habituelles polémiques. Les défenseurs de l'environnement déplorèrent la perte des cerisiers en fleurs, mais ils se consoleraient sûrement aujourd'hui en voyant l'efflorescence de blancs et de roses au printemps. Quant aux architectes, ils jugèrent le concept pompeux et froid, monotone et traditionnel, alors que Jefferson était chaleureux, iconoclaste et abhorrait les excès de pompe. Le passage du temps a fini par adoucir les réactions du public plus que le bâtiment lui-même.

A l'intérieur de la rotonde, un gigantesque bronze de Jefferson, haut de 5,80 m se tient sur un piédestal de 1,80 m, mais le vrai mémorial réside dans ses propres mots. Certains de ces mots sont gravés sur quatre panneaux muraux. Quelques phrases de la Déclaration d'Indépendance tiennent une place de choix: «Nous tenons cette vérité pour allant de soi que tous les hommes sont créés égaux...».

Sur la rive ouest du Tidal Basin, à côté du Jefferson Memorial, le **Franklin Delano Roosevelt Memorial** est le plus récent des monuments à la gloire d'un président et le premier à être accessible aux chaises roulantes, à Washington. Des murs de granit rose délimitent 4 «espaces» en plein air, un pour chacun de ses mandats présidentiels (1933-1945); la visite vous mène de l'un à l'autre par ordre chronologique. Çà et là, entourés de fontaines et de chutes d'eau, des bronzes représentent Franklin, sa femme Eleanor et des travailleurs faisant la queue pour du pain lors de la Grande Dépression. Des citations célèbres sont inscrites sur les murs. De nombreuses controverses ont marqué l'inauguration en 1997, beaucoup d'activistes étant indignés de l'absence de toute représentation fidèle de Roosevelt. Depuis, une nouvelle sculpture en bronze de l'ancien président en chaise roulante a été commandée par le Congrès pour être placée à l'entrée.

Pour apprendre comment fabriquer de l'argent, arrêtez-vous au **Bureau of Engraving and Printing** (*14th et C Street, SW*). «Le dollar commence ici,» proclame une affiche sur l'une des machines qui émettent chaque jour plusieurs millions de dollars en billets verts assortis, pour la plupart ceux de 1$ ornés du portrait de Washington, qui remplacent les billets usés. La sécurité est, vous l'imaginez, très stricte, mais les visiteurs sont autorisés à observer la fabrication du papier-monnaie derrière des parois vitrées.

Le Francis Scott Key Bridge est l'un des ravissants ponts qui relient Washington et Georgetown.

AU NORD DE LA MAISON-BLANCHE

Le **Washington Post**, le seul journal qui ait donné son nom à une marche du compositeur Sousa, organise des visites guidées de ses bureaux, situés au 1150 15th Street, NW, à l'angle de L Street, le lundi, sur rendez-vous uniquement. Les enfants doivent être âgés de plus de 11 ans. Vous verrez la vaste salle de presse remplie de centaines de journalistes en train de taper frénétiquement leurs articles ou de parler au téléphone. Vous aurez un aperçu des techniques les plus récentes, sans oublier des échantillons de celles plus anciennes, des caractères fondus au plomb aux bruyantes machines à linotype. Téléphonez (202-334 7969) pour réserver une place.

Le beau siège de la **National Geographic Society** *(17th et M Street, NW)* présente des expositions aussi variées et professionnellement préparées que son magazine de renommée mondiale. Vous pourrez y voir des spectacles au laser, des vidéos et un mini-planétarium. **Explorers Hall** présente les documents (photographies, maquettes) et les découvertes relatifs aux expéditions conduites sur la terre comme dans l'espace.

D'autres bâtiments du quartier abritent des organisations notables comme le **B'nai B'rith** *(1640 Rhode Island Avenue, NW, et 17th Street)*, qui possède un musée de la vie et de l'histoire juives.

Massachusetts Avenue, NW, a été surnommé «Embassy Row» (l'allée des ambassades) depuis que les diplomates étrangers ont commencé à occuper ses fastueuses résidences. Ne manquez pas au n° 1775, la prestigieuse **Brookings Institution**, spécialisée dans la théorie plutôt que la pratique du gouvernement, et où d'anciens ou de futurs conseillers de haut niveau peuvent effectuer des recherches pointues.

Les rues aux alentours de **Dupont Circle** donnent l'impression de faire partie d'un village, où les librairies, les marchands de cycles et les traiteurs alternent avec les boutiques et les clubs privés.

La **Phillips Collection** *(1600 21st Street, NW)*, l'une des plus grandes collections privées au monde (voir p.70), se tient tout à côté de l'avenue. De l'autre côté de la rue, **Anderson House** *(2118 Massachusetts Avenue, NW)* abrite la Society of the Cincinnati. L'intérieur de la maison est d'une opulence un peu écrasante et est ouvert au public

A l'angle de 23rd et P Street, à côté du Dumbarton Bridge, remarquez la pose sombre et préoccupée de la **statue** du poète et héros ukrainien Chevtchenko. Pour voir d'autres sculptures magnifiques, marchez jusqu'au pont suivant, sur Q Street, pour y admirer les quatre bisons en bronze. Sur **Sheridan Circle**, le général de la guerre de Sécession à cheval semble régler la circulation avec son chapeau. En remontant Massachusetts Avenue, au n° 2551, l'**Islamic Center** et sa mosquée vous transportent soudain au Moyen-Orient. Chacun doit retirer ses chaussures avant d'entrer, tandis que le sol est recouvert de tapis persans.

En continuant sur Massachusetts Avenue, l'**Ambassade britannique**, dans le style de la reine Anne, est signée Sir Edwin Landseer Lutyens.

☞ GEORGETOWN

Ce petit port de tabac se tenait sur le fleuve Potomac depuis 40 ans quand la nouvelle capitale s'installa juste à côté avec la claire intention de l'absorber. Georgetown fait ainsi partie du District of Columbia depuis le départ et dépend désormais de l'administration de la grande ville mais, son identité n'a pas été submergée pour autant. On devrait d'ailleurs plutôt parler d'identités multiples, car Georgetown c'est tout à la fois de paisibles rues bordées d'arbres et dotées de petites maisons en briques; d'élégantes propriétés dans de vastes jardins; des cafés pleins à craquer et des boîtes de nuit qui déversent au petit matin des foules de noctambules. Malheureusement, beaucoup de charmantes petites boutiques ont été remplacées par des chaînes de magasins et la foule et le trafic abondent en soirée et pendant le week-end.

Wisconsin Avenue et M Street sont les artères les plus animées et les plus commerçantes de Georgetown, bordées de boutiques et de restaurants, qui ne survivent souvent guère plus que quelques mois. Par contraste, promenez-vous dans les rues plus tranquilles situées à l'est et à l'ouest de Wisconsin Avenue, où vous serez plongé dans l'atmosphère de l'Angleterre du XVIIIe siècle. En fait, il semblerait que la seule demeure pré-révolutionnaire soit la massive **Old Stone House** à l'écart sur M Street. Après avoir servi de forge ou de dépôt de ferrailles, elle a été restaurée dans son décor des années 1770, et même les guides portent des costumes d'époque.

Les roches et les rapides rendant le Potomac infranchissable au-delà de Georgetown, il fallait impérativement (avant l'invention du chemin de fer) creuser un canal à l'intérieur des terres. Sous le nom plutôt pompeux de **Chesapeake & Ohio Canal** («C & O»), sa construction débuta en 1828, mais fut interrompue en 1850 sans jamais atteindre le fleuve Ohio. Abandonné en 1923, puis menacé d'être transformé en route, il fut restauré en 1961 pour devenir un des meilleurs centres de loisirs de Washington. Son chemin de halage est idéal pour se promener à pied ou à vélo, et vous verrez, sur l'eau, aussi bien des canoës que des péniches tirées par des mules. L'étendue totale de 296 km constitue un parc national.

Deux des plus grandes maisons situées à la limite septentrionale de Georgetown sont ouvertes aux visiteurs. Dumbarton House (2715 Q Street), construite aux environs de 1800, était à l'origine située quelque 16 m plus loin, avant d'être acheminée, ici, sur des roues tirées par un cheval, en 1915. Elle abrite désormais une belle collection de mobilier des XVIIIe et XIXe siècles ainsi que des objets ayant appartenu à la famille de Washington. Ne la confondez pas avec Dumbarton Oaks (1703 32nd Street, NW) où la conférence de 1944 donna naissance aux Nations Unies. Les mélomanes songeront peut-être au concerto de Stravinsky qui porte son nom (composé pour le trentième anniversaire de mariage de ses propriétaires, Robert Woods Bliss et son épouse). Dumbarton Oaks abrite toujours leurs collections d'art byzantin et précolombien et leur vaste bibliothèque qui a été léguée à l'Université d'Harvard. Les huit pavillons en verre,

Les rues de Georgetown sont bordées de maisons en briques
rouges tel, ici, le Georgetown Park Mall.

Les apparitions du panda font la joie des visiteurs du Zoo.

signés Philip Johnson, abritent de l'or et autres objets précieux en provenance du Mexique et de l'Amérique du Sud. Les jardins d'apparat s'étendent sur 4 ha paradisiaques aménagés en terrasses au-dessus de Rock Creek, et abritent des étangs, des statues, des charmilles et un théâtre. Les grilles du parc se trouvent à l'angle de 31st et de R Street. Munissez-vous d'un plan des jardins, ou vous risquez de vous perdre.

LE NORD-OUEST

Comme une grande entaille sur l'écorce terrestre, la vallée découpée par Rock Creek partage Washington entre «le Northwest» (nord-ouest) et «le reste», même si les adresses indiquent le contraire. Jadis, la force de la rivière alimentait plusieurs moulins à eau. **Rock Creek Park** s'étend du Maryland au Potomac sur plus de 16 km de routes et de pistes. A certains endroits, larges d'au moins 1,5 km, il se rétrécit en une gorge d'où les ponts le relient à Georgetown. Vous y trouverez des pistes réservées à la randonnée, au cyclisme ou à l'équitation; des vestiges datant de la guerre de Sécession; des aires de pique-nique; un théâtre en plein air et un parcours de golf public. Au **Pierce Mill** *(Beach Drive près de Tilden)*, restauré après des années de décrépitude, vous verrez moudre le grain et l'avoine, et pourrez acheter un sac de farine. L'Art Barn voisin est un atelier pittoresque où sont aussi exposés des tableaux.

Rock Creek Park, l'un des plus vieux parcs nationaux du monde, contrôle désormais plus de 729 ha de verdure. La plupart est boisée, mais les champs sont entretenus par le programme «Meadows», qui a beaucoup contribué à accroître la diversité des espèces de plantes, d'insectes ou d'oiseaux.

Le **Zoo**, comme chacun appelle le National Zoological Park *(3001 Connecticut Avenue, NW)*, a été ingénieusement aménagé le long des pentes qui descendent jusqu'à Rock Creek. L'environnement du lieu est déjà exceptionnel et, alors que le rôle des zoos est aujourd'hui souvent remis en cause, celui-ci s'acquitte à merveille de sa mission. Le sol est couvert d'herbe au lieu de ciment et les enclos sont à ciel ouvert dès que possible. Les animaux disposent aussi de plus d'intimité, même si cela les soustrait souvent au regard des visiteurs. Les arbres, l'ombre et l'eau abondent; la rivière, les collines et les bois lui donnent une allure de jungle en de nombreux endroits.

Le zoo fut fondé pour abriter des animaux offerts à la Smithsonian, qui obtint ce site en 1899. Il a, très tôt, entrepris d'éduquer les visiteurs dans le domaine de la préservation des espèces en voie de disparition et la santé des animaux. Les pandas sont parmi les plus populaires quand ils ne se cachent pas et les enfants adorent les gibbons bruyants et athlétiques. Bizarrement, la salle des reptiles est construite dans le style d'une église byzantine. Le week-end, les programmes éducatifs permettent aux enfants de se familiariser avec les animaux. Pendant la chaleur estivale, il vaut mieux vous rendre au zoo de bonne heure (vers 8h) pour voir les animaux en extérieur.

Les cathédrales sont destinées à être vues. Les gratte-ciel étant bannis, et à l'exception du Capitol et du Washington Monument, la **Washington National Cathedral** *(Wisconsin et Massachusetts Avenue, NW)* se détache du lot du haut de ses 122 m. La construction s'est étalée sur la plus grande partie du XXᵉ siècle. Ce qui surprend n'est pas tant son style gothique

que son authenticité. En effet, il ne s'agit ni d'une copie ni d'un pastiche: pour bâtir une des plus grandes cathédrales du monde, on a fait appel au même souci du détail artistique que celui de ses illustres devancières du XIVe siècle. Remarquez en particulier les pierres sculptées, les gargouilles, et les arcs-boutants (la meilleure vue est celle du septième étage des tours ouest). Les vitraux ne sont pas assez patinés pour rivaliser avec ceux de Chartres, mais sur le côté sud vous en trouverez un qui commémore la mission d'Apollo XI sur la lune en 1969.

Hillwood *(4155 Linnean Avenue, NW)* est le secret le mieux gardé du Northwest. Même les habitants de Washington ont tendance à être vagues à son sujet. Mais si vous avez l'occasion de voir la maison et ses superbes collections, ne la manquez pas (notez toutefois que la maison est fermée au public pour rénovation jusqu'au printemps de l'an 2000).

Lorsque Marjorie Merriweather Post acheta Hillwood en 1955, elle avait déjà l'intention de l'ouvrir au public. Sa collection débuta par du mobilier et des toiles français. Puis, en URSS, elle acheta des œuvres d'art qui avaient été confisquées à l'aristocratie après la révolution. Enfin, elle assembla la collection d'arts décoratifs russes la plus remarquable de l'Occident. Une visite guidée vous emmènera à travers des pièces remplies de merveilleux objets. Ne manquez pas les chefs-d'oeuvre créés par les orfèvres des ateliers de Fabergé, dont les fameux œufs de Pâques conçus pour servir de cadeaux aux membres de la famille impériale.

Le nombre des visiteurs étant strictement limité, il vous faudra réserver (tél. 202-686 8500) non seulement pour voir la maison mais aussi le parc, qui contient plusieurs petits musées. Une **Datcha** en bois dans le style russe abrite une collection de taille plus modeste. Un chalet moderne héberge une belle collection d'art amérindien, et dans une autre annexe sont rassemblés le mobilier, essentiellement victorien, et les souvenirs de C.W. Post.

La Washington National Cathedral fut construite au XXe siècle, en utilisant les méthodes du XIVe.

MUSEES

Par où commencer face à un tel choix? Il n'y a pas moins de douze musées sur le Mall, en comptant séparément chaque Smithsonian et en distinguant les deux bâtiments de la National Gallery of Art. N'essayez pas de tout voir en une journée et rappelez-vous qu'il y a encore d'autres collections à voir.

James Smithson, fils illégitime de Hugh Percy, duc de Northumberland, était un scientifique anglais qui admirait les Etats-Unis sans y vivre. A sa mort en 1829, il laissa plus d'un demi-million de dollars, une somme considérable pour l'époque, «pour fonder à Washington, sous le nom de la Smithsonian Institution, un établissement pour l'accroissement et la diffusion du savoir parmi les hommes». Le Congrès en débattit jusqu'en 1846 avant de permettre la réalisation de ses vœux.

Aujourd'hui, la majorité des musées bordant le Mall appartiennent à la Smithsonian, à l'exception majeure de la National Gallery of Art. La plupart des musées (sauf indication contraire)

Le «Château» est un excellent point de départ pour récolter des informations sur tous les musées Smithsonian.

sont ouverts tous les jours, sauf le 25 décembre, de 10h à 17h30. Les horaires sont parfois prolongés au printemps et à l'automne. Etonnamment, tous les musées Smithsonian sont encore gratuits.

Le premier bâtiment de la Smithsonian Institution, encore appelé **The Castle** (le château), est cette curiosité en grès rouge à l'architecture déséquilibrée qui dépasse dans le Mall et a l'air d'une église romane. Achevé en 1857, il contenait tous les objets et tout le personnel de l'institution et abrite désormais des bureaux, la tombe de Smithson et le Smithsonian Information Center, qui ouvre à 9h. Appelez le (202) 357 2700 pour tout renseignement sur les activités de la Smithsonian; le (202) 357 2020 pour un message enregistré.

Arts and Industries Building (Smithsonian)

Ce bâtiment abrite les objets de l'exposition du Centenaire de 1876, qui se tint à Philadelphie. Ils furent donnés à la nation par les participants étrangers, essentiellement pour ne pas devoir supporter le coût de leur rapatriement. Après sa restauration en 1980, l'intérieur a retrouvé les couleurs et le style de l'époque. L'excitation liée aux inventions nouvelles et la fierté face à la monté en puissance de l'industrie américaine sont très présentes. *Situé entre Independence Avenue et Jefferson Drive, SW, sur 9th Street.*

Freer Gallery of Art (Smithsonian)

La Freer Gallery abrite un magnifique éventail d'art oriental, et reste marquée par la personnalité tatillonne de Charles Lang Freer. Il a, en effet, laissé des instructions pour empêcher des prêts de ou à «son» musée, interdire la vente des objets et limiter les acquisitions. Bien que le musée puisse se targuer de **porcelaine de Chine** et de **peinture islamique** de tout premier ordre, beaucoup de gens y vont principalement pour voir la célèbre **Peacock Room**, peinte par l'artiste américain James McNeill Whistler, un grand ami de Freer. Whistler avait créé la Peacock Room pour un mécène à Londres afin d'y loger son ravissant tableau *La Princesse du pays de la porcelaine*. Quand Freer acheta la chambre, il la fit transporter en bloc à Washington. *La Freer Gallery est située sur Jefferson Drive, SW, et 12th Street.*

Hirshhorn Museum and Sculpture Garden (Smithsonian)

Cette espèce de beignet de béton posé sur quatre pieds et dessiné par Gordon Bunshaft, abrite la collection assemblée par Joseph H. Hirshhorn, un petit homme intense qui nourrissait une obsession pour l'art, ou du moins son type d'art favori. Il ne laissait personne le conseiller et il accumula ce qui est peut-être la plus grande collection individuelle de l'Histoire, réunissant 4000 peintures et 2000 sculptures. Puis il en fit don à son pays d'adoption à condition qu'un musée portant son nom fût bâti. Ce qui fut fait en 1966. Il continua à collectionner et quand il mourut en 1981, il légua 6000 œuvres d'art supplémentaires au musée.

Les **peintures**, une petite partie de la collection, sont accrochées dans les salles excentrées et sans fenêtres (à l'exception d'une longue fente) du musée. Elles penchent vers les artistes américains modernes et audacieux, tels Avery, Noland et Stella. Ils ne font pas l'unanimité. En revanche, la plupart des experts considèrent que l'œil de Hirshhorn était quasi infaillible en matière de sculptures. Ces dernières sont dans les salles du milieu, éclairées par la lumière naturelle venant de la cour circulaire (le trou dans le «beignet»). Ne manquez pas les petits bronzes d'artistes plus connus pour leurs peintures, tels Degas, Gauguin, Matisse, et un amusant Picasso, *Femme avec landau.*

D'autres œuvres impressionnantes ornent la place à l'extérieur du musée et surtout le **Sculpture Garden**, de l'autre côté de Jefferson Drive. Les plantes, fontaines et pelouses constituent un cadre idéal pour les colossaux *Balzac* et *Bourgeois de Calais* de Rodin, les étranges silhouettes assises de Henry Moore et un nu affriolant de Maillol. *Le Hirshhorn possède une entrée sur Independence Avenue et une autre sur Jefferson Drive, SW, et 7th Street.*

☞ **National Air and Space Museum (Smithsonian)**

C'est ici le paradis sur terre pour tous les passionnés d'histoire de l'aviation. Même les indifférents risquent d'être convertis par cette incroyable collection. Le vaste hall du côté du Mall n'est qu'un avant-goût, mais rien moins que le **Wright Flyer** de 1903 (en bois et en tissu), le premier avion de l'histoire, pend en son milieu. Il s'agit de l'original, comme pour toutes les pièces exposées ici, à l'exception des équipements spatiaux n'ayant pu retourner sur terre intacts. Suspendu non loin, se trouve le **Spirit of Saint Louis** de Lindbergh. Soixante-six ans seulement après les frères Wright, l'extraordinaire **Apollo 11 Command Module** ramena les premiers hommes ayant marché sur la lune.

Au National Air and Space Museum, vous trouverez notamment l'incroyable Apollo 11 Command Module de 1969.

Avant d'explorer les deux étages aux nombreuses salles remplies de merveilles, consultez le programme du **cinéma Langley**. Si vous en avez le temps, essayez de voir un film. Contempler l'espace depuis la terre est le domaine du Planetarium, dont vous devriez aussi consulter le programme.

Ne manquez pas l'aile volante construite par Lilienthal en 1894, 70 ans avant le boom du deltaplane (salle 107), la Première Guerre mondiale (209), la Deuxième Guerre mondiale (107), et l'âge d'or de l'aviation dans l'entre-deux-guerres (105), accompagné dc la musique d'époque. Chaque salle est un petit chef-d'œuvre d'agencement. *Le musée possède une entrée sur Independence Avenue et une autre sur Jefferson Drive, SW, et 6th Street.*

Bien d'autres pièces sont entreposées au **Paul E. Garber Facility** à Suitland, au sud-est en sortant de Washington. Plus de 150 avions dont vous n'auriez pas supposé l'existence sont entassés si près les uns des autres qu'il est difficile de s'y frayer un passage. Ce site est si populaire qu'il vaut mieux appeler (202-357 1400) très à l'avance pour faire une réservation.

National Museum of American Art (Smithsonian)

L'entrée du NMAA est dominée par le merveilleux et bizarre **Throne of the Third Heaven** de James Hampton, un tas d'objets emballés dans des feuilles d'aluminium toutes froissées couleur or et argent. Les autres œuvres ne sont peut-être pas aussi déconcertantes, mais la plupart des écoles de la peinture américaine sont représentées chronologiquement. Dans la salle du **Art of the West**, George Catlin et d'autres ont assemblé mille et un détails de la vie des Amérindiens avec un réalisme saisissant.

Le massif bâtiment du XIXe siècle de style néoclassique (le Old Patent Office) abrite aussi le **National Portrait Gallery** *(8th et F Street, NW)*. Dans les salles sombres sont accrochés d'innombrables portraits de célébrités: Pocahontas, Morse (un autoportrait), Davy Crockett, Bell, Carnegie, Gertrude Stein, et Tallulah Bankhead par Augustus John, pour ne nommer que ceux-là. Plutôt que d'essayer de tout voir, concentrez-vous sur quelques thèmes: la guerre de Sécession, le recul de la Frontière, les années Vingt. Ne manquez pas la collection de couvertures du **Time magazine**, qui va de Charles Lindbergh à Raquel Welch, ni les théâtrales têtes sculptées de **Noguchi**. *Sur 8th et G Street, NW.*

☞ National Museum of American History (Smithsonian)

Cette institution est devenue si animée que quelques esprits sérieux s'en sont offusqués. Le «grenier de la nation» a été sacrément dépoussiéré et construit ses expositions autour d'une mordante critique sociale. Le bric-à-brac d'hier est conservé, et voit coexister des objets domestiques que personne n'a oubliés. Dans le hall du premier étage, un pendule long de 21 m démontre la rotation de la terre en renversant de petites fiches de métal dans un cercle qui l'entoure. De rutilants véhicules et automobiles de jadis embellissent la **section transport**.

Le hall du deuxième étage (l'entrée par le Mall) est dominée par une peinture de la Bannière Etoilée, énorme copie de l'original déchiré qui flottait au-dessus du Fort McHenry près de Baltimore en 1814. C'est ici même, «aux premières lueurs de l'aube», après un violent bombardement britannique, que Francis Scott Key, inspiré, écrivit les paroles de ce qui devint l'hymne national.

Plusieurs **robes des First Ladies** sont exposées derrière des vitrines, dans une réplique de la Red Room de la Maison-Blanche. L'étrange, certains disent absurde, **statue de George Washington** par Horatio Greenough le représente à moitié nu dans une toge. Elle est source d'embarras, sinon de plaisanteries, depuis son arrivée d'Italie en 1841. Au troisième étage, la véritable tente militaire de Washington est étonnamment bien préservée dans la **section d'histoire militaire**, où se trouve le navire de guerre *Philadelphia*, coulé en 1776 et repêché en 1935. *Entrées sur Constitution Avenue et sur Madison Drive, NW, à 12th et 14th Street.*

National Museum of Natural History (Smithsonian)

Ce royaume des enfants débute à l'extérieur par un Tricératops en fibre de verre grandeur nature sur lequel ils peuvent grimper. Entrez par là et vous croiserez un énorme éléphant d'Afrique empaillé dans la rotonde. Tournez à droite vers les **salles aux fossiles** remplies de dinosaures petits et grands, squelettes et répliques grandeur nature. Des dioramas donnent une idée de la vie quotidienne et des célébrations en usage dans des cultures aussi éloignées que celles de l'île de Pâques, du Cambodge ou, plus proche, des Amérindiens.

Au deuxième étage, le **monde minéral** possède une encyclopédie de spécimens qui s'étend jusqu'aux échantillons de sol lunaire prélevés par les astronautes. Ne manquez pas les bijoux éclatants de la **Salle des Joyaux**, dont le Diamant de l'Espoir, le plus gros diamant bleu connu, qui est censé porter malheur à ses propriétaires. Relégué dans un coin, le **zoo des insectes** est un des grands favoris des enfants. Les spécimens sont ici vivants, dans des cages transparentes. *Entrées sur Constitution Avenue et 10th Street, et sur Madison Drive, entre 9th et 12th Street.*

Museums of Asian and African Art (Smithsonian)

Le National Museum of African Art et la Arthur M. Sackler Gallery of Asian and Near Eastern Art sont réunis par une spectaculaire galerie souterraine appelée **International Gallery**, où ont lieu des expositions temporaires. Toutes les salles sont au sous-sol.

Le **National Museum of African Art** *(950 Independence Avenue, SW)* est l'immeuble dont l'entrée est surmontée de six coupoles en cuivre. Les pièces maîtresses de cette collection sont les **moulages** en bronze et en laiton du Bénin, réalisés avec une grande délicatesse selon l'ancienne méthode de la cire per-due. Certains dateraient de 600 ans. Notez aussi les **perles** écla-tantes du Cameroun et les superbes **sculptures en bois** et **masques** du Zaïre.

Entrez dans la **Arthur M. Sackler Gallery of Asian and Near Eastern Art** *(1050 Independence Avenue, SW)* en traver-sant le pavillon surmonté d'une demi-douzaine de petites pyra-mides. Cette collection provient une fois encore d'une donation exceptionnelle effectuée par un riche amateur d'art, le docteur Sackler, spécialisé dans le **jade** de Chine des origines jusqu'aux temps modernes, dans les **bronzes**, les **peintures**, les **laques** et la **ferronnerie** du Proche-Orient. Ne manquez pas les miniatures persanes, si fines qu'elles paraissent avoir été peintes avec un fil, ni le luxueux **palanquin** japonais de la période Tokugawa.

Ce pachyderme se taille toujours un franc succès parmi les enfants dans la rotonde du National History Museum.

Corcoran Gallery of Art

«Dédié à l'art», affirme à juste titre l'inscription dont est surmontée l'entrée du plus vieux musée de Washington. A l'intérieur, la collection est riche en spectaculaires **paysages américains**, en portraits de John Singer Sargent et en scènes extraordinairement lumineuses par Edward Hopper et Winslow Homer. L'œuvre réaliste de Samuel Morse, l'*Ancienne Chambre des Représentants* (1822) n'ayant guère impressionné les critiques de l'époque, il abandonna la carrière d'artiste pour devenir un inventeur (le télégraphe, le code etc.). La Corcoran expose aussi de belles tapisseries, des sculptures et des instruments de musique. *New York Avenue et 17th Street, NW; tél. 202-639 1700. Ouvert du mercredi au lundi de 10h à 17h et jusqu'à 21h le jeudi. Entrée $3; familles, $5.*

National Gallery of Art, West Building

Ce monument austère de style classique est heureusement animé par sa fantastique collection de chefs-d'oeuvre de la peinture. Le bâtiment (construit en 1941) et la collection sont largement redevables à Andrew W. Mellon, un multimillionnaire de la vieille école. Il assembla les meilleures toiles de maîtres disponibles sur le marché entre 1920 et 1930, y compris celles de l'Ermitage vendues alors par l'Union Soviétique, puis en fit don pour constituer le noyau d'un musée national. D'autres philanthropes suivirent son exemple: les collections Dale, Widener et Kress rejoignirent le musée. Les tableaux sont très espacés et admirablement éclairés.

Les principales collections de peintures et de sculptures se trouvent au premier étage, regroupées par pays et par période. Les gravures, dessins et arts décoratifs sont au rez-de-chaussée. Réclamez un plan aux guichets et partez de la rotonde.

L'école de **Florence** et de l'Italie du Centre (Salles 1 à 20) débute par des œuvres de style byzantin tardif inspirées par des icônes. La rupture avec cette tradition s'incarne dans la *Vierge à l'enfant* de Giotto. Pour la Renaissance, le portrait enchanteur de la pensive *Ginevra de' Benci* par Léonard de Vinci, au modelé délicat et aux détails méticuleux, se taille la part du lion. Il s'agit du seul Léonard des Etats-Unis; quand il réalisa cette œuvre de jeunesse, le peintre n'était guère plus âgé que son jeune modèle. Ne manquez pas les éclatants portraits par Botticelli, notamment le désinvolte *Guiliano de Medici*.

L'école de **Venise** et de l'Italie du Nord (Salles 21 à 28) est représentée par des œuvres de Titien, Le Tintoret et Véronèse. L'art italien des XVIIe et XVIIIe siècles inclut des vue de Venise par Guardi et Canaletto.

La collection de **l'école espagnole** (Salles 34 à 37), quoique plus petite, est de tout premier ordre. Le Gréco, peintre d'origine grecque formé en Italie, domine une salle avec ses couleurs brillantes et ses silhouettes étirées. Notez aussi l'honnête portrait du *Pape Innocent X* par Vélasquez.

Les **écoles allemande et flamande** (Salles 38 à 45) incluent *La Mort et la misère*, une œuvre macabre de Jérôme Bosch qui dépeint comme à son habitude les tourments de l'enfer. Rubens est présent dans tous les formats et une douzaine de styles différents, tous maîtrisés. De Sir Anthony van Dyck vous verrez ses portraits de *Charles Iᵉʳ* et *Henrietta Maria*, cette dernière accompagnée d'un nain et d'un singe.

L'**école hollandaise** (Salles 46 à 51) inclut plusieurs exemples de l'immense génie de Rembrandt, dont un pénétrant autoportrait datant de la fin de sa vie. Vous aurez en outre le privilège de voir deux tableaux de l'énigmatique Jan Vermeer, la *Peseuse de perles* et la *Dame au chapeau rouge*, remarquable par sa lumière et son air de mystère.

L'**école française** du XVIIᵉ au début du XIXᵉ siècle (Salles 52 à 56) présente la spontanéité légère de Jean-Honoré Fragonard dans le *Balancement* et le *Bâillon de l'homme aveugle*, un joyeux jeu d'adultes à l'érotisme à peine voilé. La Révolution Française mit un coup d'arrêt aux ébats de l'aristocratie et ruina Fragonard. Le néoclassicisme prit le relais sous la domination de David, dont vous verrez *Napoléon dans son bureau*.

L'**école anglaise** (Salles 57 à 59) inclut des portraits par Hogarth et Reynolds, l'*Honorable Madame Graham*, splendide tableau de Gainsborough et l'une des vues de la *Cathédrale de Salisbury* par Constable.

L'**école américaine** (Salles 60 à 70) inclut de nombreux portraits des dirigeants des origines, notamment par Gilbert Stuart et Charles Willson Peale, dont le fils, Rembrandt Peale, peignit en 1801

La fontaine de Mercure dans la paisible rotonde de la National Gallery.

un portrait de son frère Rubens Peale, qui atteignit en 1985 le prix record de 4 millions de dollars. Peintes vers la fin du XIXe siècle, les œuvres de James McNeill Whistler gardent une dimension spécifiquement américaine, même si l'artiste vécut plusieurs années en Europe. C'est encore plus vrai de Winslow Homer qui, à l'encontre les Impressionnistes, opta pour une clarté de contours et un réalisme sans pareil. Enfin, notez quelques scènes américaines par George Bellows, dont *New York* (1911).

Quelques-uns des donateurs du musée se spécialisèrent dans l'**art français du XIXe siècle** (Salles 84 à 92). Deux études de Monet de la *Cathédrale de Rouen*, une demi-douzaine des célèbres représentations du Paris canaille par Toulouse-Lautrec, l'enchanteresse *Petite Fille à l'arrosoir* de Renoir, tous les grands noms sont ici représentés par certains de leurs plus beaux tableaux.

Tout en vous concentrant sur les peintures, n'oubliez pas les tapisseries, gravures, dessins, sculptures (notamment les caricatures de Daumier, *Les Députés*) et meubles du rez-de-chaussée. La boutique du musée, regorgeant de trésors, mène au hall qui relie les West et East Building. *Constitution Avenue, NW, entre 4th et 6th Street; tél. (202) 737 4215. Ouvert du lundi au samedi de 10h à 17h, le dimanche de 11h à 18h, sauf à Noël et le Jour de l'An. Entrée gratuite.*

☞ National Gallery of Art, East Building

Deux prismes triangulaires reliés entre eux, et dont les arêtes sont aussi tranchantes qu'un couteau, présentent deux façades quasiment symétriques dans ce bâtiment construit par I. M. Pei en 1978. D'une grande originalité, il s'accorde cependant avec son voisin plus classique, lui empruntant la même pierre d'origine. De petites pyramides de verre, modèles réduits de la grande Pyramide bâtie au Louvre par Pei, éclairent le passage souterrain qui relie les deux ailes. Mais évitez de visiter les deux à la suite l'une de l'autre.

A l'intérieur, l'espace paraît sans limites. Les cinq niveaux sont reliés par de grandes marches, des escaliers en spirale, des escalators, des balcons et des ascenseurs. Certaines salles abritent des expositions temporaires tandis que les autres font alterner assez fréquemment les œuvres de la collection permanente; chaque visite vous réservera des surprises. Parmi les pièces maîtresses se trouvent des Picasso de la période bleue, d'éclatants portraits de Modigliani, les motifs complexes des *drips* de Jackson Pollock, les bandes monochromes de Mark Rothko et les «bandes dessinées» géantes de Roy Lichtenstein.

Procurez-vous un programme des conférences et concerts gratuits, en particulier pour le week-end. *Pennsylvania Avenue ou Madison Drive, entrée sur 4th Street; tél. (202) 737 4215. Ouvert du lundi au samedi de 10h à 17h et le dimanche de 11h à 18h sauf à Noël et le Jour de l'An. Entrée gratuite.*

> Aux Etats-Unis, les numéros de téléphone ont 10 chiffres; les trois premiers représentent l'indicatif (*area code*).

National Museum of Women in the Arts

Ce musée pionnier fut inauguré en 1987 dans le but de célébrer les accomplissements des femmes artistes. Ironiquement, le bâtiment est un ancien repaire masculin, puisqu'il abritait un temple maçonnique remarquable par ses marbres, ses chandeliers en cristal, ses escaliers d'apparat et ses exubérants moulages en plâtre. Vous serez également séduit par les tableaux. Remarquez, notamment, la profondeur des yeux des personnages dans les toiles peintes par Elisabeth Vigée-Lebrun à la Cour de France et de Russie. Lilla Cabot Perry, une amie de Monet, contribua à introduire l'impressionnisme aux Etats-Unis. Sa *Femme au vase de violettes* possède une troublante beauté mélancolique. *1250 New York Avenue, NW, sur 13th et H Street; tél. (202) 783 5000. Ouvert du lundi au samedi de 10h à 17h et le dimanche de midi à*

17h sauf à Thanksgiving, à Noël et le Jour de l'An. Entrée $3;
étudiants et personnes âgées $2.

☞ **Phillips Collection**

Dans une ville si riche en musées, c'est la collection favorite de
beaucoup. Duncan Phillips était enfant quand sa famille fit construire cet hôtel particulier en briques. Beaucoup plus tard, il décida
de présenter sa merveilleuse collection de peintures au public. En
1930, il avait accumulé tellement d'œuvres d'art que sa femme et
lui durent déménager. Des ailes furent ajoutées, mais l'atmosphère
d'une demeure privée est restée. Le personnel est essentiellement
constitué d'étudiants et d'artistes qui aiment partager leur passion.
Chaque tableau est un joyau en lui-même. Ainsi la *Chambre bleue*,
un vibrant Picasso de 1901 représentant une jeune fille au bain, et
dont la lumière évoque Vermeer. Ne manquez pas les célèbres *Trois
Avocats* de Daumier avec leurs grands airs, ou la série de Klee,
originale et humoristique, dont l'unité est immanquable en dépit de
l'étendue des styles et des sujets. L'étoile la plus brillante de cette
constellation est peut-être l'exubérant grand tableau de Renoir, le
Déjeuner de l'équipage du bateau. Enfin, ne manquez à aucun prix
le chef-d'œuvre lumineux de Van Gogh, les *Cantonniers*, ni la mys-
térieuse *Côte de la Manche près de Dieppe* de Monet. *1600 21st,
NW, et Q Street; tél. (202) 387 2151. Ouvert du mardi au samedi de
10h à 17h, le dimanche de midi à 19h; fermé le lundi. Entrée
payante le week-end seulement $6,50; étudiants $3,25.*

Autres musées

Le **Textile Museum** propose de magnifiques tapis et des expositions des plus belles broderies du monde. *2320 S Street, NW; tél.
(202) 667 0441. Ouvert du lundi au samedi de 10h à 17h et le
dimanche de 13h à 17h. Entrée $5.*

Le **Dolls' House and Toy Museum** intéressera les enfants
comme les adultes. Cette collection, formée par un passionné,

prouve que la miniaturisation n'a pas attendu la conquête spatiale. A l'apogée de la Dolls'House, au XIXe siècle, absolument tout était susceptible de reproduction en modèle réduit. *5236 44th Street, NW; tél. (202) 244 0024. Ouvert du mardi au samedi de 10h à 17h et le dimanche de midi à 17h.*

Le **Capital Children's Museum**, situé dans un ancien couvent, est un lieu interactif un peu fou. Les enfants se perdent dans un labyrinthe, conduisent des expériences avec la lumière, pianotent sur des ordinateurs ou se déguisent en pompiers et se laissent glisser le long d'une perche. Ils peuvent aussi écrire avec des plumes d'oie ou faire marcher une presse typographique ou une boutique de leur choix. L'International Hall leur donne un aperçu des autres cultures et de leurs traditions culinaires, dégustations comprises. *800 3rd Street, NE; tél. (202) 675 4120. Ouvert tous les jours de 10h à 17h sauf à Thanksgiving, Noël et au Nouvel An. Entrée $6.*

Le **Navy Yard** sur le fleuve Anacostia réjouira tous les amoureux de la mer. Vous pourrez y visiter un véritable destroyer, le *John Barry*, amarré à quelques encablures du Capitol, ainsi que le **U.S. Navy Memorial Museum**, qui raconte l'histoire de la marine américaine depuis la guerre d'Indépendance. Dans un autre bâtiment, le **U.S. Marine Corps Museum** commémore les actions de ces durs à cuire dans le monde entier. Pendant les soirs d'été, la *Navy* (le mercredi) et les *Marines* (le vendredi) organisent des expositions et des concerts gratuits. *9th et M Street, SE; tél. (202) 737 2300, 800-723 3557. Ouvert du lundi au samedi de 9h30 à 17h. Entrée gratuite.*

Face au Navy Yard, sur l'autre rive de l'Anacostia, la **Frederick Douglass House** surplombe la rivière du sommet de Cedar Hill. Le défenseur infatigable des libertés et des droits civiques pour les Noirs vécut ici de 1877 à sa mort en 1895. Les environs sont un peu fanés, mais la maison est élégante et recèle de nombreuses possessions et des souvenirs de la vie extraordinaire de Douglass, d'esclave à ambassadeur. (L'été, la maison est une étape sur le circuit Tourmobile) *1411 W Street, SE; tél. (202) 426 5961. Ouvert tous les jours de 9h à 16h, jusqu'à 17h du 15 avril au 15 octobre; fermé à Thanksgiving, Noël et le Jour de l'An. Entrée $3, personnes âgées $1.50; gratuit pour les enfants de moins de 6 ans.*

Le **United States Holocaust Memorial Museum** est le plus récent des musées de Washington et probablement le plus émouvant. Il témoigne des persécutions subies par des millions d'individus aux mains des Nazis. En entrant par le Hall of Witness, vous recevrez un «passport» au nom d'une des victimes de l'Holocauste; vous prendrez ensuite l'ascenseur pour accéder au musée lui-même. Des objets d'art (dont un véhicule pour transporter les prisonniers), des photographies, des films et des témoignages de survivants font partie de l'exposition permanente. Au premier étage, vous trouverez une section spécialement consacrée aux enfants à partir de 8 ans. C'est une des expositions les plus appréciées et elle vaut vraiment la peine d'être visitée mais n'oubliez pas qu'elle est à la fois émotionnellement et physiquement éprouvante. L'entrée est gratuite mais limitée, en effet, il vous faudra faire la queue pour obtenir un billet gratuit pour une heure bien précise. Il est recommandé de se mettre dans la file avant 9h si vous voulez un billet pour un jour en particulier. Vous pouvez également faire une réservation en payant un petit supplément et en appelant Protix au (800) 400 9373 (de toute ville des Etats-Unis en dehors de Washington) ou au (703) 218 6500 (à Washington). *100 Raoul Wallenberg Place, SW; tél. (202) 488 0400*

ARLINGTON

Depuis le Lincoln Memorial, traversez le Potomac en suivant le trajet favori des amateurs de jogging, par l'**Arlington Memorial Bridge**, un pont orné de massives sculptures dorées. Vous atteindrez Columbia Island et Lady Bird Johnson Park, planté d'un

L'US Holocaust Memorial Museum, un lieu de mémoire consacré aux victimes du génocide perpétué au cours de la Seconde Guerre mondiale.

million de jonquilles et d'innombrables arbres à fleurs. Traversez ensuite l'étroit chenal et vous êtes en Virginie.

Les pentes verdoyantes à l'horizon sont aussi enchanteresses qu'aux premiers jours lorsque, le petit-fils de Martha Washington, George Washington Parke Custis, choisit le sommet de la colline pour y bâtir sa propriété, **Arlington House** (construite entre 1802 et 1817, année d'achèvement du massif portique dorique). Sa fille Mary épousa Robert E. Lee en 1831 et ils y vécurent ensemble pendant 30 ans, lorsque la vie militaire le permettait. C'est dans cette demeure que Lee refusa, au début de la guerre de Sécession, le commandement des forces de l'Union. Tout en soutenant l'Union et en condamnant l'esclavage, il ne pouvait se résoudre à combattre son propre Etat. Il partit à Richmond pour ne jamais revenir.

Le repos des héros: la Tombe du soldat inconnu (ci-dessus) et l'Arlington National Cemetery (à droite).

La propriété fut confisquée et le terrain fut utilisé pour inhumer les victimes de guerre: c'est ainsi que naquit l'Arlington National Cemetery. Le fils aîné de Lee se battit pour récupérer la propriété et finit par obtenir gain de cause grâce à un jugement de la Cour suprême. Les tombes ayant déjà envahi la colline, il accepta d'être indemnisé plutôt que de retourner y vivre. Une récente rénovation soignée et la recherche de mobilier d'époque donnent une idée plus juste de l'allure originelle de la maison. Les guides sont même habillés en costumes d'époque. Ne manquez pas les peintures de Custis dans l'entrée et la salle du petit déjeuner, car c'était vraiment un artiste accompli.

La perspective qui s'offre, depuis le portique, fut appelée «la meilleure du monde» par Lafayette, et ceci avant que les plans de son compatriote Pierre L'Enfant ne deviennent réalité. L'Enfant, objet de tant d'acrimonie de son vivant, repose désormais juste en face de la maison, avec une vue parfaite sur la ville. Sur le bloc de granit est gravé son plan prophétique.

Pendant longtemps, tous les membres de l'armée américaine, ainsi que leurs familles proches, pouvaient être enterrés à l'**Arlington National Cemetery**, mais le taux d'occupation devint tel qu'il fallut limiter ce droit, en dépit de l'étendue du terrain. A proximité de l'entrée du cimetière, se trouve le nouveau **Women in Military Service for America Memorial** inauguré en 1997 et qui honore plus de 1.800.000 femmes qui ont servi dans les forces armées américaines, depuis la Révolution jusqu'à nos jours. Ici, un mur de granit semi-circulaire encercle par derrière un plan d'eau lui aussi circulaire. L'entrée mène par un escalier au centre éducatif installé dans la colline derrière le monument (la vue de la ville et de ses monuments qui s'offre à vous d'ici est spectaculaire). Le centre raconte l'histoire des femmes dans la vie militaire et renferme une foule d'informations sur les femmes soldats dans l'histoire. Le toit est composé de panneaux en verre dont beaucoup sont gravés des paroles de femmes et d'hommes célèbres qui ont servi leur pays.

Marchez le long de Roosevelt Drive jusqu'à la **Tombe du soldat inconnu**. De larges escaliers mènent à un bloc de marbre blanc de 50 tonnes. Un simple soldat de la troisième unité d'infanterie, la plus ancienne des Etats-Unis, l'arpente avec une précision toute métronomique. Les visiteurs peuvent assister, à chaque heure (demi-heure, l'été), à la relève de la garde.

Promenez-vous sous les arbres à la découverte de célébrités, tels Taft, Pershing et John Foster Dulles. Il fait frais l'été et les couleurs sont éclatantes au printemps. Revenez sur vos pas vers la pente, en face de Arlington House pour voir le **Tombeau des Kennedy**. Une terrasse de pierre en forme d'ellipse épouse les contours de la colline. Sur la paroi sont inscrites ces paroles issues du discours d'investiture de 1961: «Que la nouvelle se propage d'ici et à cet instant..., que la flamme a été transmise à une nouvelle génération

La célèbre Iwo Jima Statue, juste en dehors de l'Arlington National Cemetery.

d'Américains...» Des marches mènent à une terrasse de marbre où le président repose sous de simples dalles près de sa femme Jacqueline Kennedy Onassis. Juste derrière, brûle une flamme éternelle. Non loin, sur l'herbe, une simple croix blanche et une pierre marquent la tombe du frère du président avec l'inscription: Robert Francis Kennedy 1925–1968.

Le **Pentagone**, siège du ministère américain de la défense, se tient au sud-est de l'Arlington Cemetery, mais il est cerclé de voies express. La meilleure façon de s'y rendre est en métro, mais téléphonez (703-695 1776) pour réserver une place. Comptez 30min pour les contrôles de sécurité et apportez un passeport ou un permis de conduire international. Vous marcherez beaucoup, tout en ne couvrant qu'environ 1,5 km de couloirs sur les quelque 27 que compte le Pentagone. Tout en déversant un flot d'informations, les guides marchent à reculons pour s'assurer de n'avoir perdu personne; un vrai tour de force. Sur le chemin, vous apercevrez des œuvres d'art inspirées de la guerre, des maquettes de bateaux et d'avions, des drapeaux et des bannières et des caisses de médailles. Le Pentagone dispose de cinq côtés, mais aussi de cinq étages et de cinq couloirs concentriques correspondant aux cinq forces armées: l'armée, la marine, l'aviation, les *marines* et les garde-côtes.

Le Marine Corps War Memorial, plus connu sous le nom de **Iwo Jima Statue**, se trouve en dehors de l'Arlington Cemetery, au nord. L'énorme ensemble en bronze montre cinq *marines* et un marin en train de hisser la bannière étoilée, le 23 février 1945, pendant la bataille pour la base japonaise de Iwo Jima, dans le Pacifique. Ce n'est que trois semaines plus tard que l'île fut capturée, après avoir coûté la vie de 5000 Américains. Les pertes japonaises furent quatre fois plus élevées. La sculpture, d'après une photographie célèbre de Joe Rosenthal, est l'œuvre de Felix W. de Weldon. Elle lui prit neuf ans, ce qui n'est pas surprenant, étant donné la taille des figurines (quatre fois la taille humaine) et le poids total du bronze qui, à 100 tonnes, fut le plus gros jamais créé d'une seule pièce. Certains détails, comme les mains sur le mât, frappent par leur réalisme et leur puissance d'évocation. La liste des campagnes précédentes est inscrite autour du socle. Le drapeau est hissé chaque jour à 8h et abaissé au crépuscule. L'été, des orchestres de *marines* y donnent des concerts.

A Arlington, vous trouverez également le **Newseum** (*1101 Wilson Blvd.*), le premier musée consacré exclusivement au journalisme et à l'actualité. Il présente un système de vidéos live en provenance du monde entier, des expositions multimédias relatives à l'histoire de l'actualité et du First Amendment ainsi qu'une bible de Gutenberg publiée en 1455. Le musée est situé à côté du **Freedom Park** où vous pourrez voir des morceaux du mur de Berlin, une statue décapitée de Lénine qui date des derniers jours de l'Union Soviétique et le Freedom Forum Journalists Memorial qui honore ceux qui sont morts sur le terrain.

Depuis Arlington, vous pouvez revenir à Washington en traversant le Theodore Roosevelt Bridge et en vous arrêtant au **John F. Kennedy Center for the Performing Arts** (*2700 F Street, NW; tél. 202-416 8000*). En 1971, quand ce grand complexe ouvrit ses portes, Washington ne possédait ni salle de concert ni opéra digne de ce nom. Le centre combla ce vide d'un seul coup, en y adjoignant l'American Film Institute et d'autres organisations. L'extérieur est massif mais ne frappe pas par sa beauté.

L'intérieur, en revanche, abrite quantité d'objets d'art, cadeaux en provenance du monde entier. L'Italie se distingue par 3700 tonnes de marbre de Carrare, la Suède par des chandeliers en verre d'Orrefors, la France par des tapisseries de Matisse. Les sculptures incluent des œuvres de Epstein et Hepworth, un magnifique buste de Chostakovitch par Neizvestny et la colossale tête de Kennedy par Robert Berks. Vous y trouverez, comme partout ailleurs à Washington, une boutique de souvenirs et des guides dynamiques. Essayez d'assister à un spectacle. Le choix est large, sauf le lundi. A tout le moins, montez sur la terrasse panoramique pour jouir de sa vue superbe et de sa cafétéria.

L'immeuble le plus proche au nord n'est autre que le **Watergate**, un complexe d'hôtels et d'appartements, dans lequel des hommes recrutés par des partisans du président Nixon cambriolèrent les bureaux du parti Démocrate en 1972. La tentative de Nixon et ses conseillers de dissimuler ces «sales tours» finit par causer sa chute.

EXCURSIONS AU DEPART DE WASHINGTON
Alexandria

Bien des années avant que Washington ne soit taillée à même la rive du Potomac, Alexandria, située en Virginie à quelque 10 km plus au sud, était un port prospère où des clippers chargeaient le tabac. Nommé d'après l'Ecossais Alexander, qui arriva au XVIIe siècle, le port commença à croître après que l'implantation d'une ville et la mise aux enchères de lotissements fut décidée en 1749. Lawrence Washington en acheta un, tandis que son jeune demi-frère George dessina l'un des premiers plans de la ville.

Intégrée initialement au District of Columbia, Alexandria fut rendue à la Virginie en 1846 à l'issue de tractations avec le Congrès. Aujourd'hui, elle est partiellement une banlieue dortoir mais a conservé son identité de ville à part entière et riche d'histoire. Que vous souhaitiez vous promener seul, suivre un guide en costume d'époque ou encore emprunter un *trolley* qui est plutôt un bus, demandez un plan au **Ramsay House Visitors Center** *(221 King Street; tél. 703-838 4200).*

En fait, la Ramsay House est probablement plus ancienne que la ville même car, il y a fort longtemps, elle avait été transportée en péniche le long du Potomac, depuis un autre site. La **Carlyle House** *(121 N. Fairfax Street; tél. 703-549 2997)*, toute proche, est redevenue, après rénovation, l'une des plus belles maisons de la ville. John Carlyle avait acheté deux des meilleurs emplacements lors de la vente de 1749

Vestiges du passé dans la vieille ville d'Alexandria.

et il avait opté pour le «style des rois George» en vogue en Angleterre. L'intérieur n'a été aménagé qu'après une recherche minutieuse des coloris de peinture, des vernis, des parquets et du mobilier. Quand le général Braddock arriva, en 1755, pour commander les forces de Sa Majesté dans la guerre contre les Français et les Indiens, il séjourna dans la maison de Carlyle. Blessé à mort quelques semaines plus tard, il laissa un cadeau empoisonné aux Anglais, puisque c'est son insistance à faire supporter aux colonies le coût de leur défense, qui mena indirectement à la Révolution américaine.

En face de Ramsay House, l'ancienne **Stabler-Leadbeater Apothecary Shop** *(105-107 S. Fairfax Street; tél. 703-836 3713)*, qui servit la ville jusqu'en 1933, a été préservée avec son mobilier d'origine. Martha Washington y passait des commandes de

Christ Church compta parmi ses fidèles paroissiens George Washington et Robert E. Lee.

médicaments depuis Mount Vernon. Au bord de la rivière, près du bout de King Street, la **Torpedo Factory** *(105 N. Union Street; tél. 703-838 4565)*, après une ingénieuse reconversion, abrite désormais les galeries, boutiques, ateliers de nombreux artistes et artisans. Tapisseries, poteries, peintures, sculptures, impressions, gravures sur verre et photographies sont exposés et parfois réalisés sous vos yeux. Une grande salle expose une bonne sélection archéologique incluant des bouteilles et tout un bric-à-brac médical issu de l'Apothecary. Si vous voulez un peu approfondir l'histoire d'Alexandria, visitez **The Lyceum** au 201 S Washington Street (tél. 703-838 4994); construit en 1839, cet immeuble a abrité successivement une bibliothèque, un hôpital de la guerre de Sécession, une maison et des bureaux, avant de devenir un musée consacré à l'histoire de la région.

Tout près, au coin de N. Washington et Cameron Street (tél. 703-549 1450), se trouve **Christ Church**, qui n'a pas beaucoup changé depuis que George Washington y occupait un banc réservé. C'est aussi dans cette église que Robert E. Lee se rendait à la messe pendant sa jeunesse. D'ailleurs, La **Maison d'enfance de Robert E. Lee** n'est pas loin *(607 Oronoco Street; tél. 703-548 8454)*. Avant que son père, général de cavalerie et héros de la guerre d'Indépendance s'installe dans la maison en 1812, elle avait reçu de nombreuses visites de George Washington et abrité le mariage du petit-fils de sa femme. La fille des Washington devait plus tard épouser Robert E. Lee. La maison contient de multiples souvenirs de la famille Lee, la commémoration de la visite de Lafayette en 1824, des portraits, des documents et diverses curiosités. Notez le trotteur, la maison de poupées et l'impressionnante cuisine au sous-sol. De l'autre côté de la route, au numéro 614, la **Lee-Fendall House** est restée dans la famille jusqu'en 1903. Elle abrite également une collection éclectique d'antiquités et de documents (tél. 703-548 1789).

Si vous êtes saturé de vieilles maisons, vous pourrez vous rendre dans les nombreux restaurants et boutiques d'Alexandria, vous reposer dans les jardins près de la rivière ou encore visiter un «grand bateau» amarré près de la Torpedo Factory. Le curieux bâtiment situé prés de la station de métro King est le **George Washington Masonic National Memorial**, de 101 m de hauteur *(101 Callahan Drive; tél. 703-683 2007)*. Inspiré du Pharos d'Alexandrie en Egypte, ce phare qui était l'une des Sept Merveilles du monde, le mémorial célèbre avec fierté l'appartenance de Washington à la franc-maçonnerie: il fut le premier maître de la loge numéro 22 d'Alexandria. En plus des reliques liées aux francs-maçons, vous pouvez voir la pendule de sa chambre, arrêtée à l'instant de sa mort par le médecin, et la Bible familiale. Il y a une jolie vue depuis le sommet de la tour que vous pourrez atteindre par de curieux ascenseurs légèrement inclinés. Comme il convient pour un bâtiment franc-maçon, la structure utilise toutes sortes de symboles architecturaux. Pour leur part, les enfants adoreront la parade de jouets mécaniques exposée au premier étage.

> **Pour signaler les routes, les Américains utilisent les chiffres et les points cardinaux (ainsi par exemple, *Interstate 95 North* ou *Route 1 South*)**

Mount Vernon

Mount Vernon, situé à 26 km au sud de Washington, fut la résidence privée de Washington, qui y vécut autant qu'il put de 1743
à sa mort en 1799. Vous comprendrez vite pourquoi Washington
adorait ces lieux, mais essayez d'arriver tôt (les portes ouvrent à
8h l'été et à 9h l'hiver; tél. 703-780 2000).

Washington se considérait comme un simple *gentleman
farmer*, mais, doté d'un esprit d'entreprise, il n'était jamais à
court d'idées nouvelles. Egalement architecte, il a laissé son
empreinte sur Mount Vernon. Il n'aimait pas le grandiose,
comme en témoignent la retenue digne et les aménagements
surtout pratiques de la propriété.

Approchez la maison en passant le Bowling Green et les
arbres plantés par Washington lui-même. A l'intérieur, vous
noterez l'aspect authentique des couleurs vives, exhumées par
des chercheurs après avoir retiré une vingtaine de couches. Le
hall central, par lequel s'engouffrent les courants d'air frais
l'été, traverse toute la maison. Depuis 1790 (sauf lorsqu'elle
retourne en France pour une célébration), la clé de la Bastille
pend au mur. Elle avait été offerte par Lafayette pour marquer
le transfert à l'Europe du message américain de liberté. Toutes
les chambres possèdent du mobilier, des peintures et des objets
d'art d'époque, mais deux seulement contiennent des objets
ayant vraiment appartenu à George et Martha Washington. A
l'étage, leur **chambre à coucher** abrite encore le lit sur lequel
il est mort d'une amygdalite purulente (une sévère infection de
la gorge) deux jours seulement après être tombé malade. Haut
et large, il est long de 2 m (le général mesurait 1,88 m). En bas,
le **bureau** du grand homme était un lieu où il aimait se réfugier
pour échapper aux visiteurs. C'est là que se trouve son magnifique bureau-secrétaire Hepplewhite, son fauteuil pivotant et
son globe.

A l'extérieur, asseyez-vous sur la «piazza,» un porche conçu par Washington lui-même, aussi long que la maison et d'une hauteur de deux étages. Jouissez du panorama des pelouses qui surplombent le Potomac et promenez-vous dans les jardins. Notez les dépendances, un ensemble de bâtiments abritant la cuisine, la buanderie, le filage et le tissage. Parmi les employés, se trouvaient 125 esclaves (qui furent affranchis, selon une disposition du testament de Washington, un an après sa mort). Le **musée** dans le parc est plein de

Une telle pente recouverte d'azalées signe le printemps au National Arboretum.

souvenirs, dont l'original du buste en argile réalisé par le sculpteur français Jean Antoine Houdon en 1785, et depuis copié à des milliers d'exemplaires.

Passez les écuries et allez vers le Potomac pour rejoindre la **tombe** des époux Washington. Deux sarcophages de marbre, dont les inscriptions pourraient difficilement être plus simples, reposent sous un caveau en briques, entouré des tombes d'autres membres de la famille.

National Arboretum

Le National Arboretum, situé à 6 km à l'est du centre de Washington *(3501 New York Avenue, NE; tél. 202-245 2726)*, contient quelque 180 magnifiques hectares de collines onduleuses, de forêts, de lacs et de bois. Le printemps voit une succession de floraisons de magnolias, de cerisiers et de cornouillers, ainsi que

Cette statue de Jefferson se dresse à l'intérieur de son mémorial à Washington.

d'éclatantes azalées. Le mois d'octobre amène les rouges flamboyants et les ors de l'automne. Il y a toujours quelque chose à admirer, quelle que soit la saison, des fleurs sauvages à la collection bien disciplinée de bonsaï.

Monticello

Encore jeune homme, Thomas Jefferson dégagea le sommet d'une colline près de Charlottesville, à 169 km au sud-ouest de Washington, pour construire sa maison. Il lui donna le nom de *monticello*, qui signifie «petite montagne» en italien. Il a conçu pratiquement tous les éléments de la maison, ce qui reflète bien la personnalité de ce génie digne de la Renaissance. Auteur de la Déclaration d'Indépendance, il devint gouverneur de l'Etat de Virginie, ambassadeur à Paris, puis premier Secrétaire d'Etat sous la présidence de Washington, vice-président sous John Adams, et le troisième président (de 1801 à 1809). Monticello est pleine des souvenirs de cette carrière extraordinaire. Bien plus, la maison porte l'empreinte d'un esprit toujours à l'affût et présente d'innombrables idées utiles et des gadgets.

Le cadre est particulièrement idyllique, la «petite montagne» se détachant sur un paysage somptueux. Cela vaut la peine de vous mettre en route très tôt si vous venez en voiture de Washington. (Monticello ouvre à 8h, ou 9h l'hiver; tél. 804-984 9822) Il y a un Visitor Center sur la Route 20 South près de la I-64, à quelques kilomètres de là, mais il vaut mieux s'y rendre après la visite si vous avez envie d'en savoir plus sur la construction de la maison ou la vie quotidienne au temps de Jefferson. Arrivé à Monticello, vous devrez vous garer à quelque 800 m de la maison avant de prendre une navette ou de marcher. Si vous n'avez pas l'appoint, le caissier vous rendra la monnaie avec des billets (rares) flambant neufs de $2, portant le portrait de Thomas Jefferson.

Dès le départ, Jefferson voulait quelque chose de radicalement différent du style «des rois George» d'inspiration classique. Il opta pour le style Palladien et la coupole, inspirée de la Rome antique, fut la première posée sur une maison américaine. Elaborée dans une perspective d'élégance et de confort plutôt que de grandeur, Monticello s'agrandit peu à peu pendant une quarantaine d'années, incorporant de nombreuses modifications au fur et à mesure que son propriétaire découvrait de nouvelles inventions. Le pavillon sud, séparé, fut achevé en premier, et Jefferson y vécut avec sa femme Martha pendant les premières années de leur mariage. Elle mourut avant qu'il ne parte en poste à Paris et c'est à son retour qu'il donna un nouvel essor au chantier.

On entre par l'**East Portico**, d'où vous apercevrez, en levant les yeux, un indicateur relié à la girouette sur le toit. Nul besoin de sortir pour s'enquérir de la direction du vent. L'**Entrance Hall** était déjà un musée du temps de Thomas Jefferson et était bien plus encombré de curiosités alors qu'aujourd'hui. Les bois des têtes de cerfs empaillées étaient utilisés pour suspendre les objets indiens rapportés par Lewis et Clark suite à leur expédition pionnière du continent soutenue par Jefferson, alors président. La grande pendule, qui n'a plus qu'une aiguille, toujours exacte, est activée par des poids. L'un de ceux-ci descend sous un balancier marquant les jours de la semaine, mais il fallut creuser un trou dans le sol pour loger samedi. Un ensemble de cinq pièces dans l'aile sud constituait les **appartements privés de Jefferson**. Son lit est dans une alcôve, ou plutôt un passage voûté pour lui permettre de se lever dans sa chambre d'un côté, dans son bureau de l'autre.

Il fallait à une plantation comme celle-ci des cuisines, des buanderies, une laiterie et des écuries. Plutôt que de les regrouper dans des bâtiments séparés, Jefferson tira parti de la pente pour les dissimuler sous deux **terrasses** en forme de L, qui devinrent les bras nord et sud de la maison. Allez voir comment les larges avant-toits donnaient de l'ombre et un abri aux domestiques et esclaves en bas, tout en les maintenant opportunément hors de vue. Remarquez le tunnel qui passe à travers la maison tout en reliant les caves et les dépendances.

Thomas Jefferson ne cessa jamais d'expérimenter de nouvelles plantes dans ses jardins et sa plantation, laquelle fut convertie de tabac en grain. Prenez le temps de vous promener dans le parc, qui a été restauré d'après les archives méticuleuses de Jefferson.

Enfin, descendez au caveau de famille. Vous aurez une idée de l'image que cet esprit universel souhaitait léguer à la postérité en lisant, sur l'obélisque, l'inscription posthume qu'il avait souhaitée.

Williamsburg

Cap sur le XVIIIe siècle: tel fut le but en recréant la ville coloniale de Williamsburg (à 240 km au sud de Washington), capitale de la Virginie de 1699 à 1780. C'est à partir de 1926 que le riche philanthrope John D. Rockefeller, Jr. finança la restauration des derniers bâtiments coloniaux restants. Les bâtiments disparus furent reconstruits et les additions postérieures détruites, le tout avec une attention méticuleuse donnée au détail et à l'authenticité. Aujourd'hui, vous pouvez vous promener dans les rues de cette jolie petite ville, où les seuls véhicules sur roues sont tirés par des chevaux ou des bœufs. Toutes les boutiques sont ouvertes et vous proposent des produits de l'époque coloniale.

Dans un atelier au fond d'une cour, le tonnelier fabrique des barriques, le charron des roues de charrette, l'armurier et le cordonnier sont eux aussi affairés. Tous sont habillés en costumes d'époque et adorent répondre à vos questions.

L'église paroissiale date bien de 1715, mais le bâtiment d'origine du **Capitol** et le **Palais du gouverneur** de 1705 ont brûlé il y a longtemps et ont dû être reconstruits. Par chance, de vieux dessins et gravures avaient été conservés. En ce qui concerne l'aménagement intérieur, les responsables de la restauration ne pouvaient rêver mieux, Jefferson lui-même en avait dressé les plans.

Pour vous sustenter, vous resterez plongé dans le XVIIIe siècle en vous arrêtant dans les tavernes Chowning's et Christiana Campbell's, ou dans le restaurant The King's Arms qui datent des années 1760 et 1770. Toutes joliment renovés, elles servent une variété d'authentiques plats traditionnels et du Sud.

Différents types de billets d'entrée sont en vente au Visitor Center, couvrant un grand nombre de maisons et monuments. Vous n'avez pas besoin de billet pour aller dans les boutiques ou vous promener dans la rue. Le parking est gratuit au Visitor Center et vous y trouverez d'excellents plans et brochures. Appelez le (804) 229 1000 ou le (800) HISTORY pour plus d'informations.

> **Aux Etats-Unis la consommation d'essence est indiquée en *miles per gallon* et non pas en litres au 100 kilomètres (1 km = 0,62 *mile*; 1 litre = 0,22 *gallon*)**

C'est à **Jamestown**, à 10 km au sud-ouest de Williamsburg sur le fleuve James, que s'installèrent les premiers colons débarqués d'Angleterre en 1607 (13 ans avant que le Mayflower n'atteigne le Massachusetts). Ce site marécageux, infesté de moustiques porteurs de malaria, n'était vraiment pas un endroit sain pour ces gens, leurs animaux ou leurs récoltes. Les premières années anéantirent les colons: 440 sur les 500 moururent entre 1609 et 1610. Même dans ces conditions, Jamestown demeura le siège du gouvernement pendant plus de 90 ans, avant de déménager à Williamsburg. Il ne reste des bâtiments d'origine qu'une tour d'église, mais de nombreuses fondations ont été excavées.

En sortant du National Park, vous verrez dans le **Jamestown Festival Park**, la reconstitution d'un fort de forme triangulaire, d'une poterie, et d'une tente de cérémonie indienne. Au large, flottent trois répliques grandeur nature, largement imaginaires, des trois petits bateaux, *Susan Constant*, *Godspeed* et *Discovery*, qui transportèrent le capitaine John Smith et les 103 premiers colons dans leur aventure périlleuse. Vous pouvez monter à bord du *Susan Constant* pour avoir un aperçu de la vie à bord à cette époque.

Les 37 km de la pittoresque route Colonial Parkway, qui relie Jamestown à Yorktown via Williamsburg, couvrent la totalité des 174 années de colonisation britannique en Virginie. Ce fut à **Yorktown** que Lord Cornwallis et ses troupes germano-britanniques se rendirent en 1781, scellant la perte des colonies américaines. La ville est aujourd'hui plus petite qu'au XVIIIe siècle. Il reste de nombreux bâtiments d'origine, et vous pouvez visiter la Moore House, où les termes de la reddition furent signés.

Procurez-vous des plans au National Park Visitor Center, au bout de la Colonial Parkway, d'où vous aurez une vue d'ensemble sur les lignes du front. Le champ de bataille est complexe et cela vaut la peine de voir le film d'introduction (25min) au Yorktown Victory Center avant de s'y rendre. Pour plus d'informations, appelez le (757) 253 4838 ou le (888) 593 4682.

Annapolis

Ce joyau architectural se tient à 50 km à l'est de Washington, sur l'embouchure du fleuve Severn dans la Chesapeake Bay. Dans son centre historique, un carré de 800 m de côté, se trouvent une centaine de beaux édifices datant des XVIIIe et XIXe siècles. Pas une fausse note dans cette communauté vivante et loin d'être un musée. Aux deux extrémités d'East Street se tiennent le capitol de l'Etat du Maryland et la **United States Naval Academy**. Annapolis dut son essor à son port de pêche et de commerce, mais aujour-d'hui ses criques et petits îlots sont hérissés des mâts de toutes sortes de bateaux de plaisance. La population explose l'été, lorsque les habitants de Washington s'échappent de la ville et viennent envahir ses côtes. La meilleure façon de voir la ville et ses environs est d'y faire de longues promenades à pied. Si vous désirez vous rendre au State Circle en premier, vous trouverez des plans et des brochures à l'**Old Treasury**, un bâtiment construit en 1735.

Baltimore

La plus grande ville du Maryland, située à 56 km au nord-est de Washington, a été le site de projets d'aménagements urbains ayant remporté un tel succès qu'ils ont été depuis imités dans de nombreuses villes, de Boston à San Diego.

Le Downtown Charles Center a insufflé une énergie nou-velle au centre, quelque peu délabré, grâce aux boutiques, théâtres et cafés. De même, l'aménagement de l'**Inner Harbour** a complètement transformé le front de mer, autrefois en piteux état, en un élégant centre de culture, de divertissement et de gastronomie. Une visite au **National Aquarium** *(Pratt Street sur le Pier 3;* tél. 410-576 3833*)*, un des meilleurs du monde, est de mise.

Si vous êtes amateur, allez voir les impressionnantes locomo-tives au **Baltimore & Ohio (B&O) Railroad Museum** *(Pratt Street et Poppleton; tél. 410-752 2464)*, la maison natale de Babe Ruth au **216 Emory Street** (tél. 410-727 1539) ou encore la fré-gate *Constellation* récemment restaurée et amarrée au **Constellation Dock** sur le Pier 1 (tél. 410-539 1797).

A quelques pas de là, vous pourrez embarquer pour une agréable excursion en bateau au **Fort McHenry**, où la résistance victorieuse à l'attaque anglaise pendant la guerre de 1812 inspira Francis Scott Key à composer *The Star-Spangled Banner*.

QUE FAIRE

LES SPORTS

La marche, le footing ou la course à pieds vous permettront de croiser de nombreux habitants de Washington. Et vous ne trouverez pas de meilleurs sites que les grandes étendues verdoyantes du Mall, de Potomac Park et d'Arlington, criblées de chemins au bord de l'eau et de monuments célèbres. Profitez également de Rock Creek Park et du chemin de halage du Chesapeake & Ohio Canal.

L'idéal pour couvrir plus de terrain est de louer une bicyclette. Munissez-vous d'un cadenas solide pour attacher le cadre et les roues à un réverbère ou à une grille quand vous ne l'utilisez pas et vérifiez de toute façon que le contrat de location couvre la bicyclette contre les dégâts ou contre le vol. Vous verrez que la plupart des cyclistes portent un casque et se moquent d'avoir l'air un peu stupide.

Quelques hôtels du centre, et un plus grand nombre en banlieue, possèdent une piscine. Dans le cas contraire, vous devrez affronter la foule aux piscines publiques ou bien faire une heure de conduite pour atteindre une plage sur la Chesapeake Bay, voire bien davantage pour les plages océanes de Virginie.

Les amateurs de tennis disposent de nombreux courts publics. Appelez le (202) 673-7646 pour plus d'informations. Quelques clubs privés autorisent les invités à jouer (consultez les pages jaunes de l'annuaire). Les clubs de squash font de même. Rock Creek Park et East Potomac Park ont des parcours de golf publics, et les états voisins du Maryland et de Virginie bien davantage. Les diplomates et d'autres membres de la vaste communauté étrangère ont introduit différents sports plus exotiques, parfois à la stupéfaction des habitants. Ainsi, les week-ends, dans le West Potomac Park près du Lincoln Memorial, vous pourrez assister à un match de cricket, de rugby, de polo, de football ou de softball.

Calendrier des Festivals

Les larges avenues de la ville sont faites pour des défilés et il se passe rarement un week-end sans une cérémonie ou une autre. Pour les grands événements, des dizaines d'orchestres et des centaines de chars paradent le long de Constitution Avenue, entre 7th et 17th Street. Vous trouverez ci-dessous la liste des principales manifestations annuelles:

Février	Nouvel An chinois. Défilés à Chinatown.
12 février	Anniversaire de Lincoln. Cérémonie à midi au Lincoln Memorial.
22 février/lundi le plus proche	Anniversaire de Washington; défilé à 11h30; cérémonie au Washington Monument.
Mars	Défilé de la saint Patrick sur Constitution Avenue, le dimanche après le 17 mars, à 13h. Festival de cerf-volants, le premier samedi de mars, à l'ouest du Washington Monument.
Mars/avril	Festival de la floraison des cerisiers (Cherry Blossom) et défilé sur Constitution Avenue, le premier samedi d'avril, à 12h30. Lundi de Pâques sur la pelouse de la Maison-Blanche, de 10h à 14h.
4 juillet	Feux d'artifice de la fête nationale (Independence Day), à 21h15 près du Washington Monument. Festival de musique et d'artisanat américains, près du National Museum of American History.
Juillet	Festival latino-américain, une semaine au début du mois, sur Pennsylvania Avenue.
Août/septembre	Frisbee Fest, le dimanche du week-end de Labor Day (Fête du Travail) de midi à 17h sur le Mall.
Septembre	Rock Creek Park Festival, un week-end à la fin du mois.
Fin octobre	Marine Corps Marathon. Départ à 9h de l'Iwo Jima Statue.
11 novembre	Cérémonie des Anciens Combattants à 11h près de la Tombe du soldat inconnu.
De mi- à fin décembre	Eclairage des sapins de Noël (Capitol, Ellipse), spectacles dans toute la ville.

Louer une bicyclette est un excellent moyen de visiter Washington tout en faisant de l'exercice.

Même si ce n'est pas tout à fait le *Far West*, vous pourrez monter à cheval dans Rock Creek Park ou la banlieue. Si vous avez une envie pressante d'aller sur l'eau, vous pourrez louer une barque sur le C & O Canal, faire de la voile sur le Potomac, du rafting dans ses eaux vives, ou plus tranquillement du pédalo sur le Tidal Basin. Les marins plus expérimentés iront à l'est jusqu'à Annapolis pour explorer les eaux de la Chesapeake Bay. L'Annapolis Sailing School, une école de voile renommée, se trouve au 601 6th Street (tél. 410-267 7205). En hiver, il arrive que le C & O gèle pour la plus grande joie des patineurs. Il y a également une demi-douzaine de patinoires couvertes où vous pouvez louer des patins.

Les événements sportifs

Depuis des lustres, les deux sports nationaux sont le base-ball et le football américain, avec le basket et le hockey sur glace dans les principaux deuxièmes rôles. Pendant longtemps, les dates de chaque saison sont restées immuables: le football américain de septembre au Nouvel An, le base-ball d'avril à octobre, le hockey sur glace d'octobre à avril, et le basket de septembre à mai. Aujourd'hui, les dates se recouvrent un peu aux deux extrémités, pour inclure divers matches de préparation ou de poule finale et, dans le cas du football américain, de plusieurs «bowls» (saladiers), mais en gros le calendrier est resté le même. Cela vaut vraiment la peine de se rendre à un «grand match», même si vous ne connaissez pas bien les règles. L'organisation est toujours exceptionnelle et c'est l'occasion de passer un bon moment en famille.

L'équipe de football américain de Washington, les Redskins, est une des meilleures du pays. Ils jouent à domicile au Jack Kent Cook Stadium à Raljohn, dans le Maryland. Le Robert F. Kennedy («RFK») Stadium *(East Capitol et 22nd Street, SE)*, l'ancien stade des Redskins, abrite désormais l'équipe de football de Washington, DC United. La ville a perdu son équipe de base-ball il y a des années, (elle a déménagé au Texas); vous devrez donc vous rendre à Baltimore pour voir un match du championnat de première division. Quant aux équipes de hockey sur glace (les Washington Capitals) et de basket (les Washington Wizzards), toutes deux jouent dans une nouvelle salle située dans le centre-ville, le MCI

Bordée de boutiques, Connecticut Avenue réjouira les amateurs de shopping.

Des produits fins sont offerts à l'Eastern Market, dans le quartier de Capitol Hill, pour votre plus grand plaisir.

Center. Beaucoup de gens préfèrent les compétitions universitaires aux compétitions de professionnels, notamment en ce qui concerne le basket, et les universités de Washington et des environs disposent d'équipes d'un excellent niveau.

LES ACHATS

Comparez bien les prix avant de faire vos achats par carte de crédit (à peu près acceptées partout) ou en liquide. Les Etats-Unis ont inventé des techniques modernes de marketing qui déploient des trésors d'imagination pour séduire les consommateurs. Un coup d'œil à l'édition dominicale du *Washington Post* vous donnera une petite idée des promotions en cours.

Les magasins sont ouverts en général de 10h à 18 ou 19h, du lundi au samedi. De nombreux centres commerciaux et de boutiques de la banlieue et de Georgetown sont ouverts le dimanche aussi. La plupart des grands magasins sont ouverts en nocturne jusqu'à 20h le jeudi, et de midi à 17h le dimanche.

Où faire ses achats

Washington ne possède rien de semblable à la Cinquième Avenue de New York, où se concentrent les boutiques de luxe. Celles-ci sont éparpillées sur quelques quartiers à travers la ville et en banlieue. Le quartier d'Old Downtown, longtemps déshérité, abrite désormais quelques-uns des grands magasins les plus célèbres.

De rutilants centres commerciaux abritent la plus grande variété de boutiques dans de vastes espaces climatisés. Dans le centre, les boutiques de National Place *(entre 13th et 14th Street, E et F Street, NW)*, le Pavilion de l'Old Post Office *(1100 Pennsylvania Avenue)* et Union Station sont particulièrement agréables et combinent une variété de magasins et de restaurants. A Georgetown, Canal Square *(M et 31st Street, NW)* et Georgetown Park *(M Street et Wisconsin Avenue, NW)* regorgent de boutiques sur plusieurs niveaux. Le centre commercial du Watergate, Les Champs *(600 New Hampshire Avenue, NW)*, affiche les plus grands couturiers à des prix élevés, quoique peut-être plus intéressants que ceux pratiqués par leurs boutiques isolées. En vous éloignant de la ville, vous trouverez un grand choix au White Flint Mall à Kensington, dans le Maryland, ou dans les deux centres Tysons Corner à McLean, en Virginie. Pour les *discounts* plus importants, la meilleure sélection aux meilleurs prix est offerte par le Potomac Mills Mall, juste en sortant de la route I-95, à 50 km au sud.

Georgetown a encore ses petites librairies, galeries d'art, antiquaires et boutiques de vêtements, toutefois, des chaînes de magasins haut de gamme prennent de plus en plus d'importance et contribuent à la disparition des maisons plus anciennes et plus connues. Ainsi, en fin de semaine, à l'intersection de Wisconsin et M Street, le centre du quartier se métamorphose et la foule des banlieues envahit boutiques, restaurants et autres centres d'animation. Les trottoirs étant bondés, il est sans doute préférable de venir ici en semaine pour faire, paisiblement, du lèche-vitrines.

Les principaux musées disposent d'excellentes boutiques, où vous trouverez tous les souvenirs et cadeaux dont vous avez besoin.

Les bonnes affaires

Livres. C'est un bonheur de fureter parmi les rayons de librairies bien approvisionnées, dont certaines restent ouvertes tard. Kramerbooks and Afterwords *(1517 Connecticut Avenue, NW)* propose aussi un bar et un café. Vous trouverez des réductions importantes, y compris sur les succès du moment, chez Crown Books et Olsson's. Les chaînes nationales B. Dalton's et Waldenbooks ont des succursales dans certains centres commerciaux. Vous trouverez aussi des boutiques Barnes & Noble et Borders.

Vêtements. Vous trouverez de tout: des créations originales en provenance de Paris, le meilleur de la mode américaine chez Polo/Ralph Lauren *(3270 M Street, NW)*; les tendances qui ont fini par s'imposer, comme le prêt-à-porter chez Banana Republic *(Georgetown Park Mall et 601 13th Street)*. La plupart des grands magasins abritent des boutiques de grands couturiers. Pour ceux qui ont un budget plus limité, les succursales de Benetton et The Limited proposent des vêtements féminins à la mode. Il est difficile de résister à leur gamme sport; quant aux t-shirts, ils sont si bon marché que le matériau à lui seul semble valoir davantage.

vacancy -
chambres libres
no vacancy -
complet

Artisanat. La plupart des souvenirs présentés comme objets d'artisanat sont en fait de très mauvaise qualité et produits en masse en Asie orientale. Vous trouverez un choix plus intéressant dans les boutiques de musées. A Georgetown, de nombreuses galeries vendent de l'authentique artisanat américain. La boutique du musée du ministère de l'intérieur *(18th et C Street, NW)* vend des pièces d'artisanat amérindien réalisées dans le style tradi-

*La beauté des magnolias en fleurs dans Potomac Park
suffit à inspirer plus d'un artiste en herbe.*

tionnel. A l'Old Torpedo Factory *(105 N. Union Street, Alexandria, Virginie)*, un centre de magasins et d'ateliers, vous trouverez des objets qui resserrent la frontière entre artisanat et art moderne (voir p.78).

Gadgets. La quête pour la réduction de l'effort ne cesse de produire du nouveau, que ce soit à usage de la cuisine, du jardin, de la piscine ou de la voiture. Arrêtez-vous au rayon quincaillerie des grands magasins ou bien dans les boutiques spécialisées dans l'équipement de la cuisine. Avant d'acheter quoi que ce soit, les visiteurs étrangers doivent s'assurer que la prise et le

Le Chinatown de Washington organise chaque février des parades colorées pour fêter le nouvel an chinois.

voltage des appareils électriques peuvent être adaptés à leur propre usage.

Disques. Vous trouverez d'excellentes promotions sur les cédés en consultant la section «Weekend» dans les journaux du vendredi. Assurez-vous que l'enregistrement est bien numérique. Les cassettes et vidéocassettes peuvent se trouver à bon marché. Mais vérifiez si elles sont compatibles avec le système de votre pays!

Papeterie. Vous trouverez une grande sélection de cartes et de fournitures de bureau dans des boutiques aux vitrines multicolores.

Vins et spiritueux. Grâce à quelque tour de passe-passe financier, les bons vins français coûtent parfois moins cher qu'en France, mais pas les vins de Californie. Certaines boutiques offrent des promotions très intéressantes sur les spiritueux.

LES LOISIRS

Si vous êtes à Washington pour un bref séjour, renseignez-vous sur l'actualité des spectacles en consultant la section «Weekend» du vendredi dans le *Washington Post,* l'hebdomadaire gratuit *CityPaper* (qui paraît le jeudi), le magazine *Washingtonian* et enfin *Where* (distribué gratuitement dans de nombreux hôtels). A Ticketplace *(730 21st Street NW;* tél. 202-842 5387*),* vous pourrez acheter des billets pour les événements sportifs ou culturels, y compris des places à demi-tarif pour le jour même.

Pour les informations concernant les concerts et conférences, le plus souvent gratuits, aux différents musées de la Smithsonian, téléphonez au (202) 357 2700.

A l'ouverture du John F. Kennedy Center, la vie culturelle de la capitale fut profondément transformée par l'adjonction d'un opéra, d'une salle de concert, du théâtre Eisenhower et d'une demi-douzaine d'autres salles plus petites. Vous pourrez y voir le galop d'essai d'une comédie musicale (en route pour New York) ou une pièce à succès que vous avez manqué. Des compagnies de ballet de réputation mondiale, de grands orchestres en tournée et des solistes réputés font souvent étape à Washington. Le Washington Opera offre une courte saison hivernale et le National Symphony Orchestra, devenu un des meilleurs orchestres du pays s'y produit fréquemment. Procurez-vous un exemplaire du *Kennedy Center News* pour un calendrier détaillé. D'autres institutions proposent des concerts, souvent gratuits, notamment l'Anderson House, la Library of Congress, la Phillips Collection et la National Cathedral. Les fous de théâtre seront comblés par le Folger Shakespeare Theater, le Ford's Theater et le National Theater.

Le week-end, des spectacles satiriques animent de nombreux bars, restaurants et clubs tels que le Bayou et l'Arena Stage.

Quant aux films, là aussi le choix est important. Chaque banlieue possède plusieurs cinémas, mais la plupart des films en exclusivité sont concentrés dans les salles situées sur M Street et Wisconsin Avenue. Les reprises et les séances en matinée, programmées parfois dès midi, sont bien meilleur marché. Au Kennedy Center, l'American Film Institute projette une sélection de classiques et de films étrangers.

Le rutilant métro de Washington est ponctuel, bien éclairé et surveillé de près.

Ceux qui aiment danser, ont à leur disposition une foule de bars, clubs, discothèques, et même un bateau sur le Potomac. Choisissez votre style de musique du ragtime au rock, en passant par la musique folk et les grands classiques. C'est à Georgetown que vous trouverez le plus grand choix, le long et autour de M Street et Wisconsin Avenue, avec d'autres enclaves sur Capitol Hill, près de Dupont Circle, et à Alexandria. Rappelez-vous qu'à Washington, en Virginie et dans le Maryland, l'âge légal minimum pour la consommation d'alcool et pour de nombreux clubs est 21 ans. L'ambiance ne monte en général pas avant 22h, et le week-end, les boîtes de nuit ne désemplissent pas avant 3h du matin au moins. La renaissance récente du jazz a entraîné la création de nombreux clubs et bars dans le sillage du Blues Alley, établi de longue date et dans lequel on peut dîner en écoutant les meilleurs musiciens.

LES PLAISIRS DE LA TABLE

Dîner dehors fait partie du mode de vie de nombreux habitants de la ville. Pourtant, jusqu'à une période récente, Washington pouvait être considéré comme un désastre gastronomique. Les choses n'avaient guère changé depuis que le président Van Buren avait été rejeté par l'électorat qui le soupçonnait de préférer les plats étrangers raffinés au plat de viande et de pommes de terre en sauce qui fait l'ordinaire des familles américaines. Mais ce n'est plus le cas. Le vent de la gastronomie a soufflé. Des vagues d'immigrants bourrés d'idées ont atteint les rives du Potomac pour s'y installer et vous pouvez vous régaler des différentes cuisines ethniques, un mois durant, midi et soir, sans faire de répétitions.

Il est possible de manger pratiquement à n'importe quelle heure, car le petit déjeuner déborde sur le déjeuner, et le dîner peut commencer l'après-midi avec des prix *early bird* (pour les repas pris avant une certaine heure). Les brunches du dimanche peuvent être gargantuesques tout en restant abordables (ils sont parfois accompagnés d'un orchestre), mais il vous faudra peut-être réserver.

Le visiteur affamé, à court de temps et d'argent, bénira la grande innovation du *food mall* (centre de restauration). Des dizaines de restaurants sont rassemblés sous un seul toit, en général autour d'un grand espace central où s'asseoir. Les prix sont étonnamment bas et l'attente est brève pour emporter hamburgers, frites, riz et chapattis au curry, pizza bien épaisse, salade grecque, moussaka, hot-dogs, sushi, ou poulet frit. Des comptoirs de nourriture organique et des *salad bars* se trouvent un peu partout. Les meilleurs centres de restauration sont dans le Pavilion de l'Old Post Office (voir p.95) où les spectacles abondent à l'heure du déjeuner, The Shops et National Place, la spectaculaire Union Station (voir p.95) et Crystal City (dans la station de métro).

Le quartier animé d'Adams-Morgan, autour de Columbia Road et 18th Street, NW, concentre de nombreux restaurants multi-ethniques. De même, le quartier autour de Dupont Circle, à l'intersection de Connecticut et Massachusetts Avenue, est un endroit populaire pour sortir dîner, le soir.

Les restaurants plus élégants exigeront parfois le port d'une veste et d'une cravate pour les hommes. Ils pourront souvent vous prêter le nécessaire si vous en avez besoin.

Que manger

Tout d'abord, à l'usage des visiteurs étrangers, quelques mots sur les habitudes alimentaires des Américains. En vous asseyant pour prendre le petit déjeuner, on vous servira du café presque systématiquement. Opposez-vous fermement et clairement si vous n'en avez pas envie, ou pas tout de suite. Le café est en général très léger, et le thé peut consister en un sachet et un pot d'une eau qui n'est pas toujours très chaude. Pour les toasts, précisez si vous voulez du *white* (pain blanc), *wheat* (pain complet) ou du *rye* (pain de seigle) et précisez *dry* (sec) si vous voulez évitez qu'il soit beurré à l'avance. Au déjeuner ou au dîner, il se peut qu'on vous apporte une salade avant le plat principal. Beaucoup d'endroits servent des assaisonnements *French* et *Italian* qui ne seraient reconnaissables ni en France ni en Italie, ou alors d'épaisses concoctions sous le nom de *blue cheese* et *Thousand Island*.

Ne commandez pas trop. La plupart des portions sont généreuses, mais enquérez-vous de la garniture, car il s'agit parfois d'une simple salade. Les soupes, en particulier les soupes aux haricots et aux gombos, sont en général épaisses et abondantes. Un sandwich (précisez le pain de votre choix, si on ne vous a pas déjà posé la question) peut constituer un repas complet. N'ayez pas peur de demander à ce que les restes de votre repas soient emballés pour emporter.

Le bœuf occupe la place de choix dans la cuisine américaine traditionnelle et les steaks sont souvent énormes. L'agneau est rare et plus cher. A Washington, ce sont les poissons et surtout les coquillages qui tiennent la vedette: huîtres, coquilles Saint-Jacques et palourdes. Parmi les desserts, vous trouverez de délicieux *cheesecakes* (flans au fromage blanc), des tartes aux fruits et plus de 100 parfums de crème glacée.

Il peut paraître un peu étrange, qu'une visite de la capitale américaine mène à la découverte de la cuisine afghane ou éthiopienne. La cuisine italienne, implantée depuis plus longtemps, s'était un peu fourvoyée dans les boulettes de viande et les spaghettis mais, on assiste depuis peu à un retour des plats régionaux plus traditionnels. Il est arrivé quelque chose d'un peu similaire à

Dans le quartier d'Adams-Morgans se trouvent de nombreux restaurants délicieux.

l'autre ancienne tradition, la cuisine chinoise. Elle reste toujours concentrée à Chinatown *(entre H et I Street, NW, de 5th à 8th Street)*, mais a évolué, sous la pression des consommateurs, des plats cantonais très simples à des recettes plus élaborées en provenance du Szechuan, de Pékin et du Hunan.

L'enthousiasme pour la nourriture thaï semble se répandre dans le monde entier, et n'a donc pas épargné Washington. Des restaurants se sont installés sur et autour de K Street, NW. La cuisine vietnamienne s'est également propagée à travers la ville, et notamment à Arlington. Si tout cela ne vous suffit pas, vous pourrez encore explorer les restaurants latino-américains, indiens, ou européens.

INDEX

Informations pratiques

A

AEROPORTS

Washington est desservie par trois aéroports:

Dulles International. La plupart des vols internationaux atterrissent à Dulles (IAD), à quelque 45 km à l'ouest du centre, soit 45min en voiture (plus aux heures de pointe). Des bus express et des taxis opérés par la compagnie Washington Flyer font la navette entre l'aéroport et la ville en s'arrêtant dans plusieurs grands hôtels. Il y a aussi une navette Washington Flyer qui se rend à la station de métro West Falls Church près du périphérique, ainsi qu'à l'aéroport National. Le terminal se situe sur 16th et K Street à côté du Capital Hilton. Téléphonez au (703) 685 1400 pour connaître les horaires.

Baltimore/Washington International. Quelques compagnies étrangères utilisent BWI, situé à quelque 48 km au nord-est de Washington et 15 km au sud de Baltimore, soit près d'une heure en voiture. Des navettes gratuites acheminent les passagers à la gare de l'aéroport, d'où partent des trains des compagnies Amtrak et MARC (Maryland Rail Commuter) vers Union Station. Enfin, outre les taxis, il existe aussi une liaison par bus express opérée par Super Shuttle, dont le terminal se situe sur 15th et K Street. Téléphonez au (410) 761 1689 pour plus d'informations.

National. La plupart des vols intérieurs utilisent National Airport (DCA), situé sur le Potomac à seulement 6 km du centre de Washington, soit quelque 10min en voiture, peut-être 20 aux heures de pointe. Il est desservi par les taxis, les bus (le terminal est situé sur 16th et K Street) et le métro. Une navette gratuite relie les terminaux et la station.

ALCOOL

L'âge minimum pour acheter (ou boire en public) de l'alcool est 21 ans. Si vous paraissez avoir moins de 30 ans, on pourra vous demander de présenter une ID (pièce d'identité montrant votre âge).

Washington autorise la vente de bière, de vin et de spiritueux dans un plus grand nombre d'endroits que beaucoup d'autres Etats (supermarchés, épiceries et bien sûr marchands d'alcools) et les prix sont généralement plus bas que dans le reste du pays.

AMBASSADES et CONSULATS

A peu près chaque pays est représenté à Washington. Les ambassades sont situées au nord-ouest de la ville, pour la plupart aux alentours et le long de Massachusetts Avenue.

Belgique: 3330 Garfield St., NW, Washington, DC 20008; tél. (202) 333-6900

Canada: 501 Pennsylvania Avenue, NW, Washington, DC 20001; tél. (202) 682-1740

France: 4101 Reservoir Road, NW, Washington, DC 20007; tél. (202) 944-6000

Suisse: 2900 Cathedral Avenue, NW, Washington, DC 20008-3499; tél. (202) 745-7900

ARGENT

Monnaie. Le dollar ($) est divisé en 100 cents (¢).

Pièces: 1¢ (*penny*), 5¢ (*nickel*), 10¢ (*dime*), 25¢ (*quarter*), 50¢ (*half dollar*), et $1. Seules les quatre premières circulent couramment.

Billets: $1, $2 (rare), $5, $10, $20, $50 et $100. Les montants plus importants ($500, $1,000) ne sont pas en circulation. Les billets sont de même taille et de même couleur (verte et noire), donc vérifiez-les avant de payer. Une nouvelle série de billets de $20, $50 et $100 et également en circulation et ceux-ci diffèrent par la taille plus importante des portraits et de la surface colorée.

Gardez toujours une petite réserve de *dimes*, *quarters*, et billets de $1 pour les pourboires, les appels téléphoniques et les petits achats.

Pour les restrictions de change, voir DOUANE ET FORMALITES D'ENTREE.

Banques et bureaux de change. Les horaires des banques varient, mais elles ouvrent en général de 8h30 ou 9h à 15h, du lundi au vendredi. Quelques banques sont ouvertes le samedi matin. Les petites agences ne changent pas les devises étrangères. Il y a des bureaux de change dans les aéroports et les hôtels, mais leurs taux sont généralement moins intéressants.

Cartes de crédit et d'achat. L'argent «en plastique» joue un rôle encore plus grand aux Etats-Unis qu'en Europe: c'est un mode de vie. La plupart des Américains détiennent plusieurs cartes de crédit. Les principales cartes (American Express, Diners Club, MasterCard/Access/Eurocard, Visa et Discover) sont acceptées presque partout. Au moment de régler vos achats, on vous demandera souvent: «cash or charge?»

Chèques de voyage. Les chèques de voyage émis en dollars sont faciles à utiliser et plus souvent acceptés pour régler vos achats. Ne changez que de petites sommes à chaque fois, en conservant le reste dans le coffre de l'hôtel si possible. Gardez séparément une liste des numéros des chèques pour faciliter un remboursement en cas de perte ou de vol.

Taxes à l'achat. *(sales taxes)* Elles sont ajoutées séparément au montant de votre facture. A Washington, le taux général est de 10% (pas de taxe sur les produits d'alimentation), et de 10% dans les restaurants. Les hôtels facturent une taxe de 13% plus $1,50 par nuit pour les «services de promotion du tourisme».

Pour Equilibrer Votre Budget

Pour vous donner une idée de ce qui vous attend, voici une liste de prix moyens en dollars américains. Ils ne sont donnés qu'à titre indicatif, en raison de l'inflation, et surtout des variations importantes d'un endroit à l'autre.

Transfert depuis l'aéroport. Taxi au centre-ville depuis Dulles $40–42, depuis National $12–15, depuis BWI $50–55. En bus depuis Dulles $16, depuis National $8, depuis BWI $13. En métro depuis National $1,10 (plus cher aux heures de pointe).

Garde d'enfants. $10–12 par heure plus le transport pour un service de professionnels.

Location de bicyclettes. $7–22 par jour. Caution ou pièce d'identité requises en dépôt.

Bus. A l'intérieur de Washington même de 1 à $1,25 (plus aux heures de pointe ou vers le Maryland et la Virginie). L'appoint est exigé. Gratuit pour les enfants de moins de 5 ans (deux par adulte payant).

Location de voitures. De $20 à $55 par jour. Comparez les tarifs en considérant les taux hebdomadaires, les avantages d'une réservation faite à l'avance, les forfaits week-end et les compagnies proposant des véhicules un peu plus âgés.

Washington, DC

Loisirs. Cinéma \$8–9 (parfois moins en matinée), concerts/théâtre \$10–50, discothèque/club de jazz entrée \$3–10, boissons \$3–8.

Hôtels (chambre double par nuit, taxes non comprises). Catégorie luxe \$250 et au-delà, supérieure \$200-\$250, moyenne \$125–200, économique ou motel moins de \$125. Des promotions pour le week-end sont souvent proposées.

Repas et boissons (taxes non comprises). Petit déjeuner \$5–12, déjeuner \$5–20, dîner \$15 et au-delà, carafe de vin maison \$10 et au-delà, bière \$3–5, alcools \$5 et au-delà, sodas \$1,50, café \$1,50–3.

Métro. \$1,10–\$3,25 selon la distance (plus cher aux heures de pointe). Gratuit pour les enfants de moins de 5 ans (deux par adulte payant).

Taxis. Pas de compteurs. Le prix de la course dépend d'un système de zones. A l'intérieur de chaque zone, environ \$3,50 pour une seule personne (\$1,25 pour chaque passager supplémentaire), plus \$1 par chaque nouvelle zone traversée.

AUBERGES de JEUNESSE

Voici la liste des chambres (ou dortoirs) de cette catégorie dans la région de Washington:

> International Guest House,
> 1441 Kennedy Street, NW,
> Washington, DC 20011; tél. (202) 726 5808

> Washington International Youth Hostel,
> 1009 11th Street, NW,
> Washington, DC 20001; tél. (202) 737 2333

> YMCA, 420 East Monroe Avenue, Alexandria, VA 22301; tél. (703) 838 8085

B

BLANCHISSERIE et TEINTURERIE

Les hôtels offrent parfois un service pour le jour même. La plupart ont eu la bonne idée d'installer dans la salle de bains, une corde où vous pourrez étendre votre linge. Il y a de nombreuses teintureries et laveries automatiques à pièces dans la ville et en banlieue.

C

CAMPING

Plusieurs terrains, situés à quelque distance de la ville, en Virginie et dans le Maryland, offrent des emplacements pour les caravanes et/ou les tentes. Vous trouverez aussi des informations en vous adressant au National Parks Service: 1100 Ohio Drive, SW, Washington, DC 20242; tél. (202) 619 7222

CIGARETTES, CIGARES et TABAC

Le prix des cigarettes varie en fonction du lieu d'achat. Un paquet acheté à un distributeur coûte plus cher que dans un kiosque, qui à son tour est plus cher qu'un supermarché. Les cigarettes sont moins chères si vous les achetez par cartouche de 200. Il y a une gamme considérable de tabacs pour pipe et de cigares, quoique les cigares cubains soient interdits. Fumer est interdit dans la plupart des bâtiments publics, bureaux et restaurants. Tous les vols intérieurs sont non-fumeurs

CLIMAT et HABILLEMENT

Climat. Le printemps, du début avril à la mi-juin, est généralement délicieux. Septembre et octobre peuvent être très agréables. Les mois d'été sont chauds et humides. Les hivers sont imprévisibles, doux ou froids, ensoleillés ou enneigés.

Le tableau ci-dessus donne les maxima et minima quotidiens de température (°C):

	J	F	M	A	M	J	J	A	S	O	N	D
Maximum	6	7	12	18	24	28	31	29	26	19	13	7
Minimum	-3	-2	2	7	12	17	20	19	15	9	3	-2

Habillement. Etant donné que nombreux sont qui viennent ici pour affaires (le plus souvent avec le gouvernement), Washington peut paraître plus formelle dans son habillement que d'autres villes; mais beaucoup s'habillent de manière plus décontractée. Toutefois, certains restaurants et certains bars exigent une veste, une cravate, ou les deux à la fois, surtout le soir. Un certain nombre de discothèques n'admettent ni t-shirts, ni baskets, ni jeans. L'été, portez des vêtements légers, et préférez le coton aux fibres synthétiques. La climatisation ayant tendance à être frigorifique, vous aurez peut-être besoin d'emporter un pull pour le porter à l'intérieur. Au printemps et en automne, faites preuve de souplesse et attendez-vous au chaud, au froid ou à la pluie. Pour un bulletin météorologique, le plus souvent fiable, appelez le (202) 936 1212. Si vous venez en hiver, attendez-vous à de la neige, bien que ce ne soit pas garanti.

COMMENT y ALLER

En raison de la complexité et des variations importantes de nombreux tarifs, faites-vous conseiller par votre agence de voyages bien avant la date de votre départ.

Par avion

Vols internationaux. La plupart des compagnies aériennes opèrent des vols à destination de Washington, desservie par trois aéroports (voir AEROPORTS).

En plus des tarifs habituels en première classe, en classes affaires et économique, il existe d'autres options: APEX (réservation 21 jours avant le départ pour des séjours de 7 jours à 6 mois, sans escale), spécial économique (réservation à toute date, la formule la plus souple), liste d'attente (le jour du voyage, en général valable en été seulement). Des tarifs hors saison et de nombreux forfaits sont aussi disponibles.

Pour les voyageurs en provenance d'Europe, il est en général moins cher d'acheter un billet aller-retour pour New York et de rejoindre ensuite Washingtonen voiture, en train ou par un vol intérieur.

Vols intérieurs. Il y a un service quotidien entre Washington et chaque Etat de l'Union, ainsi que les principales villes du Canada. Toutes les heures, une navette (sans réservation) opère entre Washington et New York ou Boston. Les destinations importantes sont reliées à Washington par des vols directs, mais il vous faudra prendre une correspondance pour rejoindre les villes plus petites et plus isolées.

Bagages. Sur des vols transatlantiques réguliers, vous êtes autorisé à enregistrer deux bagages de taille normale. La même règle gouverne les vols intérieurs aux Etats-Unis et au Canada. Sur d'autres vols internationaux, l'allocation bagages varie entre 20 et 40 kg en fonction de la classe dans laquelle vous voyagez. En plus des bagages enregistrés, vous avez le droit d'emporter un bagage à main format cabine. Vérifiez les limites de poids et de taille avec votre agence de voyages avant de réserver votre billet.

Il est conseillé d'assurer tous les bagages pendant la durée de votre séjour; parlez-en à votre agence de voyages.

Par bus
Les principales villes d'Amérique du Nord sont reliées à Washington par des lignes régulières. Sur les billets normaux, vous devez atteindre la destination finale dans les 60 jours qui suivent l'achat du billet. L'achat d'un billet *round-trip* (aller-retour) vous permet d'économiser environ 10%. La principale compagnie, Greyhound Trailways Bus Lines, propose des forfaits à la carte de durées variables (7, 14, ou 30 jours), mais certains d'entre eux ne peuvent s'acheter qu'en dehors des Etats-Unis.

En train
Les trains de la compagnie Amtrak relient Union Station aux principales villes du Nord-est et à quelques villes du Sud. Le *Metroliner* est un train rapide (3h) entre Washington et New York.

Il existe des réductions et des achats forfaitaires. Si vous comptez beaucoup utiliser le train, songez à acheter un abonnement régional. Pour toutes informations, appelez le 1-800-USA-RAIL. Les étrangers peuvent acheter la carte *U.S.A. Railpass*, en vente dans leur pays et dans les principales gares des Etats-Unis.

CONDUIRE aux ETATS-UNIS

La conduite se fait à droite. A un stop, après vous être assuré qu'il n'y a aucune voiture en vue et qu'aucun piéton ne s'apprête à traverser, vous êtes autorisé à tourner à droite au rouge (à moins qu'un panneau n'indique le contraire). Le port de la ceinture de sécurité est obligatoire dans la plupart des Etats, y compris à Washington, dans le Maryland et en Virginie. Dans la plupart des ronds-points, la priorité est donnée aux véhicules sur le point de s'engager dans le «circle» ou «rotary». Vous devrez vous arrêter à quelque 8 m d'un bus scolaire (jaune), dans les deux sens sur une voie double, si le conducteur a mis ses clignotants au rouge.

Limitations de vitesse. A Washington la limitation de vitesse est de 40 km/h. En Virginie et dans le Maryland, elle est de 88 km/h sur autoroute, et moins sur les autres routes. Il n'y a pas de distinction de vitesse entre les différentes voies d'autoroute. Pour s'adapter aux fluctuations de la circulation, quelques routes inversent le flux de certaines voies pendant les heures de pointe (en général de 7h à 9h30 et de 16h à 19h30). D'autres ont des voies réservées aux banlieusards et exigent alors un nombre minimum de passagers. Ces restrictions sont clairement indiquées sur des panneaux.

Stations-service. Il y en a peu dans la ville même. Certaines ferment tôt en semaine ainsi que le dimanche toute la journée. On vous demandera parfois de payer avant de faire le plein ou de faire l'appoint. Les prix affichés sont pour le *self-service*: le *full serve* tend à être plus cher.

Parking. Il est difficile de se garer dans le centre, ce qui ne vous surprendra pas. Les parcmètres sont vite pris d'assaut, à moins qu'ils ne se limitent à 20 ou 30min. Veillez à ne pas gêner la circulation en vous garant, car vous risquez la fourrière et une grosse amende. Si cela vous arrive, appelez le Department of Public Works au (202) 727 5000.

Associations automobiles. L'American Automobile Association (AAA) délivre des informations très utiles et est particulièrement serviable pour les membres des clubs affiliés dans les pays étrangers. A Washington, elle est située au 701 15th, NW, Suite 100; tél. (202) 331 3000. En cas d'urgence (réservé aux membres), composez le 1-800-AAA HELP.

D

DECALAGE HORAIRE

Washington est situé dans la zone horaire U.S. Eastern Standard, qui est G.M.T. moins 5 heures. Les pendules sont avancées d'une heure, pour réaliser des économies d'énergie (Daylight Saving Time, soit G.M.T. moins 4 heures) entre le premier dimanche d'avril et le dernier dimanche d'octobre. Le tableau suivant donne l'heure dans plusieurs villes l'été.

Los Angeles	**Washington**	Montréal	Paris
9h	**midi**	midi	18h

Le numéro de l'horloge parlante à Washington est le 844 2525.

Les dates aux Etats-Unis s'écrivent en suivant l'ordre, mois/date/année; par exemple 1/6/99 signifie le 6 janvier 1999.

DOUANE et FORMALITES d'ENTREE

Les Français munis d'un passeport valide et d'un billet aller-retour n'ont pas besoin de visa pour un séjour de moins de 90 jours. Les Canadiens n'ont pas besoin de visa, sauf s'ils désirent travailler aux Etats-Unis. Les ressortissants d'autres pays francophones devront se renseigner auprès de leur agence de voyages ou du consulat américain de leur pays. Si vous avez besoin d'un visa, les formulaires sont disponibles auprès des agences de voyages, des compagnies aériennes ou des consulats américains. Une demande adressée par courrier prendra au moins un mois. Si le temps presse, rendez-vous en personne à l'ambassade ou au consulat américain. Le dossier complet doit inclure un passeport encore valide au moins six mois après les dates projetées, une photo d'identité, la preuve que vous disposez de revenus suffisants et que vous quitterez les Etats-Unis à l'issue de votre visite. Enfin, un certificat médical n'est, en général, pas exigé, mais vérifiez auprès du consulat qui émet votre visa.

Le passage de la douane et les formalités à remplir prennent moins de temps et sont plus simples que dans le passé. Si vous arrivez par avion, la compagnie vous remettra deux formulaires avant d'arriver, l'un destiné à la douane et l'autre aux services de l'immigration.

La table ci-dessous indique les articles hors-taxe que vous pouvez, en tant que non-résident (âgé de plus de 21 ans), apporter aux Etats-Unis, puis ensuite emporter en retournant dans votre pays.

	Cigarettes		Cigares		Tabac	Spiritueux		Vin
Etats-Unis	200	ou	50	ou	1,350g	1l	ou	1l
Canada	200	et	50	et	900g	1.1l	ou	1.1l
Belgique	800	ou	200	ou	1kg	10l	et	90l
France	800	ou	200	ou	1kg	10l	et	90l
Suisse	200	ou	50	ou	250g	10l	et	2l

Un non-résident a le droit d'apporter en guise de cadeaux des produits hors-taxe pour une valeur totale de $100. Les plantes, les graines, les fruits, légumes et autres produits frais sont interdits. Toute nourriture étant sujette à inspection, il vaut peut-être mieux ne pas en apporter du tout. Enfin, tout montant en espèces et chèques de voyage supérieur à $10,000 doit être déclaré.

E

ELECTRICITE

Le courant de 110 V est la norme américaine. Les prises sont plates, en général à deux fiches (parfois à trois). Les visiteurs étrangers auront besoin d'un transformateur et d'un adaptateur de prise.

ENFANTS

Les principaux musées s'adressent à tous les âges. Certains, comme le National Air and Space Museum, font naturellement un triomphe auprès des enfants. Le Capital Children's Museum est unique, car tout y est destiné à être touché, mis en marche et utilisé. D'autres idées à prendre en compte (pour plus de détails, voir la description de chaque institution en particulier) pourraient inclure le F.B.I. Building; le Dolls' House et Toy Museum; l'Explorers Hall du National Geographic Society ou le National Museum of Natural History, pour les dinosaures et le zoo des insectes vivants.

Pour les activités en plein air, il y a bien sûr le Zoo, qui organise des activités spécialement destinées aux enfants, Rock Creek Park et le Nature Center (le week-end). Vous pouvez louer des pédalos sur le Tidal Basin ou faire un tour en bateau sur le Potomac ou le C & O Canal. Glen Echo Park (à Bethesda, dans le Maryland) offre des cours de théâtre pour les enfants, ainsi que des ateliers d'expression artistiques gratuits le dimanche. Le parc à thème de Kings Dominion, au nord de Richmond sur la I-95, plaît davantage aux enfants que la ville coloniale de Williamsburg qui se trouve sur la même route.

Pour davantage d'idées et de spectacles, consultez les pages *Carousel* de la section «Weekend» du *Washington Post* du vendredi.

G

GUIDES et EXCURSIONS

Les nouveaux venus dans la capitale peuvent se joindre à une visite guidée de la ville, proposée par plusieurs compagnies. Les navettes

Tourmobile de la société Landmark Services, approuvées par le National Parks Service, font étape aux principaux sites touristiques. Vous pouvez descendre et remonter à volonté. Il y a cinq itinéraires différents, qui incluront suivant les cas la ville, l'Arlington National Cemetery, Mount Vernon, et la Frederick Douglass House (l'été seulement). Le prix du billet dépend naturellement de votre choix et vous pourrez payer en montant à bord ou au guichet situé dans le Mall. Les navettes sont souvent pleines à craquer en haute saison et il vous faudra donc peut-être attendre la suivante. Les Old Town Trolleys, des bus qui ressemblent à des tramways, font aussi le tour des monuments et des hôtels avec montée et descente à volonté. En outre, les compagnies de bus organisent des excursions en dehors de Washington pour la journée ou avec la possibilité de passer la nuit dans des lieux tels que Monticello et Williamsburg.

Si vous souhaitez louer les services d'un guide diplômé, contactez le Guide Service of Washington: 733 15th Street, NW, Suite 1040, Washington, DC 20005; tél. (202) 628 2842

H

HOTELS et LOGEMENT (voir aussi Auberges de Jeunesse)

Le Washington, DC Convention et Visitors Association (voir Offices du tourisme) vous fournira une liste à jour des hôtels, motels, *bed-and-breakfast* (chambres chez l'habitant) et des terrains de camping. Il est recommandé de réserver à l'avance, car les hôtels sont vite complets pendant les périodes de salons et de vacances. Ceci peut s'effectuer soit directement auprès de l'hôtel soit par l'intermédiaire d'une agence de voyages. Les grandes chaînes ont des bureaux dans les grandes capitales étrangères et disposent d'un numéro d'appel gratuit sur le sol américain (consultez les pages jaunes de l'annuaire). Sachez qu'en général, les logements sont chers à Washington.

Dans la plupart des hôtels, ici comme ailleurs aux Etats-Unis, les prix ne diffèrent pas selon qu'il s'agisse d'une chambre simple ou double et ne comprennent en général pas les taxes. Presque toutes les chambres sont équipées de la climatisation, d'une salle de bains et de la télévision. Vous avez généralement le choix entre des lits jumeaux (dont chacun peut être un lit pour deux) et un grand lit (*king* ou *queen* selon la taille). Les enfants peuvent souvent dormir dans la chambre de leurs parents gratuitement, ou avec un petit supplément. Sauf indication contraire, les prix des chambres ne comprennent pas les repas. La majorité des hôtels de Washington (toutes catégories) proposent des tarifs spéciaux pour le week-end, les vacances et les périodes hors saison (jusqu'à 50% du prix). Renseignez-vous avant de réserver votre chambre.

Bed-and-Breakfast. Les chambres chez l'habitant, à des prix raisonnables comprenant un petit déjeuner généralement continental, sont très populaires. Mais de nombreux *B&B* sont en fait de petits hôtels pratiquant des tarifs plus élevés. Les brochures de l'Office du tourisme donnent la liste des adresses et téléphones.

A Washington, les agences de réservation mentionnées ci-dessous, couvrent les *B&B* de toutes catégories en ville et dans les banlieues du Maryland et de Virginie. Une commission est due à la réservation.

Bed 'n' Breakfast Accomodations,
Ltd. of Washington, DC, P.O. Box 12011,
Washington, DC 20005; tél. (202) 328 3510

Bed & Breakfast League-Sweet Dreams & Toast,
P.O. Box 9490,
Washington, DC. 20016; tél. (202) 363 7767

HORAIRES

La plupart des musées sont ouverts tous les jours sauf le jour de Noël, mais certains sont fermés le lundi. La plupart des musées de la Smithsonian sont ouverts de 10h à 17h30. (202-357 2700).

Les horaires des magasins varient, mais en général ils sont ouverts de 10h à 17h30 ou 18h, du lundi au samedi. Certaines boutiques ouvrent à midi et ferment à 19, 20 ou 21h et un grand nombre, surtout à Georgetown, sont ouvertes le dimanche de 10h, 11h ou midi à 17h ou 18h. Les restaurants ferment parfois le dimanche ou le lundi. Quelques-uns restent ouverts toute l'année. Les horaires de bureau sont normalement de 9h à 17h.

J

JOURS FERIES

Dans la plupart des Etats, les dates indiquées ci-dessous sont des jours fériés. Si la date tombe un dimanche, les banques et de nombreux magasins ferment le jour suivant. Les jeudis fériés se prolongent en un long week-end.

Nouvel An	1er janvier
Martin Luther King Day	Troisième lundi de janvier
Anniversaire de Lincoln	12 février
Anniversaire de Washington	Troisième lundi de février
Memorial Day	Dernier lundi de mai
Independence Day (Fête Nationale)	4 juillet
Labor Day (Fête du Travail)	Premier lundi de septembre
Columbus Day	Second lundi d'octobre
Veterans' Day	11 novembre
Thanksgiving Day	Quatrième jeudi de novembre
Noël	25 décembre

L

LANGUE

L'anglais, langue officielle aux Etats-Unis n'est pas celui d'Oxford et il est certains américanismes qui pourraient vous être utiles.

admission	droit d'entrée
bathroom	toilettes (privées)
bill	billet de banque
check	addition (restaurant)
dead end	voie sans issue
fall	automne
first floor	rez-de-chaussée
(French) fries	frites
gas(oline)	essence
general delivery	poste restante
rest room	toilettes (publiques)
round-trip ticket	billet aller-retour
second floor	premier étage
sidewalk	trottoir
stand in line	faire la queue
subway	métro

LOCATION de VOITURES

Les voitures se louent dans les aéroports ou en ville. Les prix varient considérablement, mais il y a beaucoup de compétition, alors prenez le temps de comparer. Il peut y avoir une réduction de prix si vous réservez à l'avance; vous pourrez aussi obtenir le modèle de voiture que vous souhaitez et peut-être gagner un peu de temps au moment de la prendre.

Une boîte automatique et la climatisation sont la norme. Notez que des tarifs apparemment bas peuvent grimper très vite après l'addition d'assurances et suppléments divers. Vérifiez auprès de votre assureur si vous avez besoin de la clause «personal/medical» car vous serez peut-être déjà couvert.

Il vous faudra présenter un permis de conduire valide et sans doute votre passeport (de nombreuses compagnie réclament un permis de conduire international si le permis du conducteur est dans une langue autre que l'anglais). Les transactions en espèces sont généralement refusées ou exigent de lourdes cautions. Si une voiture un peu plus usée par le temps ne vous dérange pas, demandez les tarifs pour des véhicules plus anciens à des compagnies portant des noms tels que Rent a Wreck (consultez les pages jaunes).

Washington n'est pas aussi exaspérante pour la conduite que les autres grandes villes américaines, mais le parking demeure problématique ou d'un coût prohibitif dans les quartiers du centre. Plutôt que de louer une voiture pour l'intégralité de votre séjour, songez à vous déplacer en métro, bus, taxi et à pied. Une voiture de location est surtout utile pour les excursions en dehors de la ville.

M

MEDIAS

Journaux et magazines. Les quotidiens de Washington, le *Washington Post* et le *Washington Times*, vous tiennent informés de la vie politique et de l'actualité nationale et internationale. La section «Weekend» du *Post* comprend un guide détaillé des événements culturels. L'édition du dimanche est massive, gonflée par une série de suppléments à la fois érudits et instantanément jetables.

L'actualité internationale est mieux rapportée par le *New York Times* et le *Wall Street Journal.* Ces journaux sont vendus dans les kiosques et dans les distributeurs.

L'hebdomadaire gratuit *City Paper* recèle une mine d'informations, de programmes et d'anecdotes sur la capitale. Le mensuel gratuit *Where* est distribué dans les hôtels et le *Washingtonian* propose des critiques gastronomiques et des articles sur la capitale.

Seule une poignée de kiosques vendent une large sélection de journaux étrangers.

Radio et télévision. Rares sont les chambres d'hôtel sans télévision. Le choix des chaînes est vaste et beaucoup émettent sans interruption. Les grandes sociétés commerciales se livrent à une lutte d'audience sans merci en proposant des programmes de fiction ou d'information selon des recettes éprouvées. Pour des programmes de meilleure qualité et des analyses plus fouillées, essayez la chaîne publique Public Broadcasting Service (PBS), dont le magazine. «The Jim Lehrer News Hour» offre un autre regard sur l'actualité nationale et internationale.

Les stations de radio se spécialisent dans le rock, la pop, le jazz, le country et d'autres formes musicales. National Public Radio et les stations universitaires diffusent davantage d'informations et de musique classique.

O

OBJETS TROUVES

Chaque compagnie de transports a son propre département d'objets trouvés. Pour les aéroports, contactez la police d'aéroport appropriée. Les hôtels et restaurants conservent les objets perdus généralement pendant quelques jours ou quelques semaines.

OFFICES du TOURISME

Les Etats-Unis en général et Washington en particulier sont particulièrement riches en brochures, plans et calendriers de manifestations.

Washington, DC Convention and Visitors Association, 1212 New York Avenue, NW, Washington, DC 20005; tél. (202) 789 7000 (www.washington.org sur le web).

Washington, DC

White House Visitors' Center, 1450 Pennsylvania Avenue, NW; tél. (202) 208 1631.

Une aide d'urgence pour les voyageurs en difficulté est offerte par la Travelers Aid Society, 512 C Street, NE 20002; tél. (202) 546 3120 (également à Union Station et aux aéroports Dulles et National).

Pour tout renseignement, contactez le représentant de l'Office du tourisme des Etats-Unis dans votre pays.

Belgique: Visit U.S.A. Tourism Center, 203 Blvd Général Jacques, 1050 Bruxelles, tél. (02) 648 43 56.

Canada: Information U.S.A., 1455 Peel Street, Suite 403, Montréal, Québec, H3A 1T5, tél. (514) 844-5122.

France: Pour tout renseignement, appelez le (01) 43 12 25 04.

P

PHOTOGRAPHIE et VIDÉO

Toutes les grandes marques de pellicule et d'équipement sont disponibles. Cherchez les boutiques où les prix sont plus bas. Il existe de nombreux services de développement des photos en couleur dans la journée. Les diapositives prennent d'habitude quelques jours.

Les machines à rayons X des aéroports n'affectent pas les pellicules ordinaires mais demandez une inspection à la main pour un film à haute sensibilité. Pour la protection de vos pellicules, les sacs cerclés de plomb sont inefficaces. Choisissez plutôt une pochette isolante légère pour les protéger contre les températures élevées.

Vous trouverez sans peine des cassettes vidéo vierges pour tous les types de machines, mais souvenez-vous que les cassettes enregistrées achetées aux Etats-Unis ne sont pas compatibles avec les standards européens et vice versa (la conversion est coûteuse.)

PLANS et ADRESSES

La Washington, DC Convention et Visitors Association et le National Parks Service distribuent tous deux, gratuitement, de bons plans et des brochures. Les plans de la ville et les cartes de la région s'achètent dans les librairies et les stations-service.

Que vous soyez à pied ou en voiture, vous vous orienterez vite sans peine. Ville aménagée, Washington suit une certaine logique. Elle est divisée en quadrants (NW, NE, SE, SW) — par North Capitol, East Capitol et South Capitol et le Mall. Les rues nord-sud sont numérotées, les rues est-ouest portent des lettres, et toutes partent du Capitol. Les lettres J, X, Y et Z ne sont pas utilisées, les rues I sont parfois orthographiées *Eye*, et au lieu des rues B, il y a Independence et Constitution Avenue. D'autres avenues coupent les rues en diagonale et portent le nom des différents Etats.

Quand l'alphabet s'achève, les noms commençant par A, B, C, etc., prennent le relais, mais n'attendez pas une parfaite cohérence.

POIDS et MESURES

Les Etats-Unis sont en train de combattre le mouvement d'arrière-garde contre le système métrique. Si le lait et les jus de fruits s'achètent encore par *quart-gallon* ou *half-gallon*, les vins et spiritueux sont maintenant disponibles en bouteilles d'un litre. Quant aux produits d'alimentation, leur poids est d'habitude indiqué aussi bien en *ounces* et *pounds* qu'en grammes.

POLICE

Washington, siège du FBI et de la CIA, possède six unités de police. La D.C. Police, en uniformes bleus, veille au respect de la loi et de l'ordre dans le District et la Metro Transit Police, en uniformes marron, couvre la sécurité et les infractions dans le bus et le métro. Il y a, par ailleurs, la U.S. Park Police, la U.S. Capitol Police, les Services Secrets en uniformes et les Services Secrets.

N'hésitez pas à demander de l'aide ou un renseignement aux policiers. Derrière leurs lunettes noires à reflets, leurs armes et leur image de durs, ils sont aimables et prêts à rendre service.

En cas d'urgence, appelez le 911 (police, pompiers, ambulance) à Washington et dans les autres grandes villes. Dans les petites villes, composez le 0 pour obtenir l'opératrice.

POSTES et TELECOMMUNICATIONS

Courrier. L'United States Postal Service (USPS) traite uniquement le courrier en utilisant un système compliqué de catégories. La plupart

Washington, DC

des bureaux de poste sont ouverts de 8h30 à 17h du lundi au vendredi et quelques-uns ouvrent le samedi matin. La poste centrale (North Capitol Street et Massachusetts Avenue, NE) reste ouverte jusqu'à minuit du lundi au vendredi et jusqu'à 20h le week-end. Si vous achetez des timbres en-dehors des bureaux de poste, dans les aéroports ou dans certains supermarchés, vous paierez un petit supplément, mais cela vaut la peine car les bureaux sont peu nombreux et éloignés les uns des autres. Les boîtes aux lettres, dans la rue, sont bleues et de loin, il est facile de les confondre avec les poubelles et les distributeurs de journaux.

Poste restante Vous pouvez vous faire adresser du courrier portant la mention *General Delivery* à l'adresse suivante:

900 Brentwood Road, NE, Washington, DC 20066

Les lettres seront conservées pendant un mois et peuvent être retirées sur présentation de votre passeport ou permis de conduire. Les heures d'ouverture sont de 8h à 20h du lundi au vendredi, de 10h à 18h le samedi et de midi à 18h le dimanche.

Télécopies. La plupart des grands hôtels offrent un service de télécopie à leurs clients. De plus en plus, vous aurez la possibilité de brancher votre ordinateur et votre modem directement dans votre chambre. Vous pourrez aussi envoyer et recevoir des télécopies dans les boutiques affichant un panonceau marqué «Fax» ou dans des endroits tels que Kinko's qui mettent également à la disposition de leurs clients, un service de photocopies et des ordinateurs.

Téléphone. Le téléphone est opéré par des compagnies privées. Des téléphones publics se trouvent un peu partout, la plupart à pièces (25 cents minimum à Washington), d'autres acceptent des cartes téléphoniques ou les principales cartes de crédit (les instructions et les prix sont clairement indiqués). Quand vous faites un appel longue distance, on vous demandera souvent, compétition oblige, de sélectionner une compagnie en pressant telle ou telle touche, mais cela importe peu au visiteur. Les tarifs du soir (après 17h) et du week-end sont moins chers. La plupart des compagnies aériennes, des chaînes d'hôtels et autres grandes sociétés ont mis en place des numéros d'appel gratuit, qui commencent par 800 ou 888 (il faut composer le 1 avant). L'annuaire des numéros verts peut être consulté en appelant le 1-800-555 1212.

L'indicatif régional pour Washington est le 202. Dans le Maryland, c'est le 410, en Virginie le 703 au nord de l'Etat et le 804 au sud. Vous devez impérativement composer l'indicatif si vous appelez la Virginie ou le Maryland depuis Washington, ou vice versa. Toutefois, ces appels sont facturés au prix d'une communication locale. Pour parler à l'opératrice, composez le 0. Pour obtenir des renseignements à l'intérieur de la même zone, faites le 411. Sinon, composez le 1-(indicatif de la zone)-555 1212. La plupart des pays étrangers peuvent être appelés directement: consultez l'annuaire pour les indicatifs.

Renseignez-vous sur les tarifs pratiqués par votre hôtel, il est généralement bien moins cher d'utiliser un téléphone public. Dans ce cas, munissez-vous d'une réserve de monnaie, car au bout d'un certain temps une voix électronique vous demandera de rajouter des pièces.

POURBOIRE

On s'attend à ce que vous laissiez un pourboire correspondant à 15 ou 20% de l'addition dans les restaurants et les bars. Même dans les *fast-foods* et de simples *coffee-shops,* il est d'usage de laisser quelques pièces de monnaie sur la table. Si vous réglez par carte de crédit, n'oubliez pas d'ajouter un pourboire (*tip*) avant de reporter le montant total sur le reçu. Les ouvreuses au cinéma et au théâtre ne reçoivent pas de pourboire, mais les portiers et responsables de vestiaire doivent être rémunérés, pas moins de \$1. D'autres suggestions:

Porteur	de 50 cents à \$1 par sac (minimum \$1)
Femme de chambre	\$1 par jour (pas pour les séjours très courts)
Préposée aux lavabos	50 cents
Chauffeur de taxi	environ 15%
Guide	10–15%
Coiffeur	15%

R

RELIGION

Quasiment toutes les religions sont représentées dans la région de Washington. Demandez, au concierge de votre hôtel, les horaires et les adresses des principaux services religieux.

S

SANTE et SOINS MEDICAUX

La gratuité des soins n'existe pas aux Etats-Unis. Une consultation chez le médecin peut être chère, et une hospitalisation ruineuse. Une assurance médicale couvrant la totalité de votre séjour est donc une précaution essentielle. Voyez auprès de votre compagnie d'assurances ou auprès de votre agence de voyages.

L'eau du robinet est parfaitement potable

Les visiteurs étrangers peuvent contacter leurs ambassades pour obtenir une liste de médecins recommandés ou s'adresser aux organisations suivantes:

Prologue Dental and Physician Referral Service, (202) 362 8677;
Dental Referral Service of the DC Dental Society, (202) 547 7615

Pharmacies (pharmacies). Certains médicaments qui ne sont délivrés que sur ordonnance dans votre pays sont en vente libre aux Etats-Unis, et vice versa. Il y a de nombreuse pharmacies à Washington. La chaîne CVS a deux succursales ouvertes toute la nuit: 1199 Vermont Avenue, NW; tél. (202) 628 0720; 6-7 Dupont Circle, NW; tél. (202) 785 1466

T

TOILETTES

Les Américains utilisent davantage d'euphémismes que la moyenne: *rest room, powder room, bathroom, ladies' room, men's room*. Il y a très peu de toilettes publiques, mais tous les restaurants et musées en possèdent. Si jamais vous avez affaire à des toilettes payantes, le prix à payer est d'habitude de 10 cents.

TRANSPORTS

La WMATA (Washington Metropolitan Area Transit Authority) opère un réseau combiné ferroviaire (Metrorail) et routier (Metrobus). Les plans sont disponibles dans certaines stations de métro ou à la WMATA, 600 5th Street, NW. Appelez le (202) 637 7000, pour obtenir une réponse à vos questions (le temps d'attente peut être long).

Le **Metrorail** n'a rien à voir avec le chaotique métro new-yorkais. Les immenses voûtes en béton armé, les escalators parmi les plus longs du monde, les murs séparés des quais par de profonds fossés, l'ensemble fait penser à un décor de science-fiction. L'absence de piliers s'explique par des raisons de sécurité: impossible de se soustraire à la surveillance des caméras vidéo. La propreté est remarquable: on passe l'aspirateur sur la moquette (et oui!) tous les jours.

A l'exception de Georgetown, vous ne vous trouverez jamais à plus de 10min d'une station de métro. Elles sont indiquées par de discrets panneaux marron surmontés d'un «M». Les plans, les renseignements et les distributeurs de billets se tiennent en bas des escalators. Vous aurez besoin de votre ticket pour rentrer *et* sortir du réseau. Les distributeurs acceptent des pièces et des billets et rendent la monnaie en pièces. A l'issue de chaque trajet, le tourniquet de sortie imprime le solde non utilisé et vous pourrez réutiliser le billet en augmentant, au besoin, sa valeur.

Les lignes sont représentées par des couleurs. Le terminus est indiqué sur les quais et sur les rames. Le réseau ferme à minuit.

Vous pouvez prendre une correspondance (*transfer*) gratuite pour continuer votre trajet en bus à Washington (il faut payer un petit supplément pour sortir de la ville), mais n'oubliez pas de vous munir d'un billet *transfer* avant de franchir le tourniquet.

Bus. Le réseau des bus est complexe. Certaines lignes ne fonctionnent que pendant les heures de pointe. Renseignez-vous auprès du concierge de votre hôtel ou un autre passager pour trouver la ligne dont vous avez besoin. L'appoint en monnaie est exigé. Réclamez un *transfer* pour changer de bus. Il n'y a pas de correspondance gratuite avec le métro.

Taxis. Vous pouvez héler les taxis au passage, les attendre à une station ou les appeler par téléphone (consultez les pages jaunes sous la rubrique *Taxicabs*). Les taxis de Washington n'ont pas de compteur. Les tarifs dépendent d'un système de zones, où vous devrez payer un montant fixe à l'intérieur d'une zone, et un supplément pour chaque nouvelle zone traversée. (Il y a également des suppléments à acquitter pour chaque passager supplémentaire, les bagages, les heures de pointe, etc.) Dans des rues moins fréquentées et pendant les heures de pointe, il arrive que le chauffeur s'arrête pour prendre des passagers supplémentaires, mais vous devrez toujours payer le même prix. Un pourboire d'environ 15% est l'usage.

U

URGENCES

En cas d'urgence uniquement, le numéro à appeler (police, pompiers, ambulance) dans la région de Washington et toutes les grandes villes américaines est le **911**.

V

VOLS et DELITS

A Washington, vous trouverez très souvent, à l'entrée des bâtiments officiels et des divers sites touristiques, des détecteurs de métal. Le mieux est d'être patient et de suivre les directives du personnel.

Toutes les grandes villes sont confrontées au problème de la criminalité, violente et non-violente, et Washington ne fait pas exception.Si vous prenez quelques précautions, vous ne risquez pas d'avoir des ennuis. Entreposez vos objets de valeur, vos billets et votre argent dans le coffre de votre hôtel. Conservez séparément une photocopie de votre billet d'avion et de votre passeport, ainsi que les numéros de vos chèques de voyage. N'emportez que ce dont avez besoin. Prenez garde aux pickpockets, surtout dans les foules. Gardez votre sac à main bien fermé et votre portefeuille dans une poche intérieure. Ne laissez jamais vos affaires exposées dans une voiture.

La nuit, évitez les quartiers dangereux et les rues à l'écart mal éclairées. Assurez-vous que vous savez où vous allez et surtout comment rentrer. Quand vous conduisez à travers des quartiers déshérités, verrouillez les portes de la voiture et remontez les vitres.

Si vous êtes agressé, ne résistez pas et donnez ce qu'on vous réclame. Puis appelez la police (911). Obtenez une copie du rapport de police pour votre compagnie d'assurance.

VOYAGEURS GAYS et LESBIENNES

Washington abrite une importante communauté homosexuelle qui se concentre principalement autour de Capitol Hill, Logan Circle et Dupont circle. Les hebdomadaires gratuits *Washington Blade* et *Metro Weekly* vous fourniront des informations complémentaires à ce sujet.

Hôtels recommandés

Si vous vous rendez à Washington, sachez que les périodes dites de haute et de basse saison ne sont pas clairement définies. En général, les prix des chambres sont plus élevés en semaine, lorsque les cerisiers du Japon sont en fleurs (fin mars à début avril) ou que le Congrès est en session (de mi-septembre à Thanksgiving et de mi-janvier à juin). Contactez les différents hôtels pour connaître les réductions ou forfaits en cours (familles, couples, personnes âgées,...).

Pratiquement toutes les chambres disposent d'une télévision (cable et souvent chaînes payantes), d'un sèche-cheveux, d'un fer à repasser et la plupart possèdent un coffre et une machine à café. Sauf indication contraire, les principales cartes de crédit (American Express, Mastercard et Visa) sont acceptées dans tous les établissements. Les numéros verts (800 ou 888) ne sont accessibles, pour la plupart, qu'au départ des Etats-Unis. A titre indicatif, nous avons regroupé les prix des chambres en quatre catégories:

✿✿✿✿	plus de $250
✿✿✿	de $200 à 250
✿✿	de $125 à 200
✿	moins de $125

CAPITOL HILL ET UNION STATION

Capitol Hill Suites ✿✿ *200 C Street SE; tél. (202) 543-6000, (800) 424-9165, fax (202) 547-2608.* Situés dans une rue résidentielle, en face de la Library of Congress, ces appartements reconvertis sont un excellent choix pour les familles (petit déjeuner compris; gratuit pour les enfants en dessous de 18 ans). Spacieux, ils disposent d'une cuisine équipée ou d'une kitchenette. Supermarché à proximité. Décor plaisant. 152 suites. Métro: Capitol South.

LE CENTRE

Capital Hilton ✿✿✿-✿✿✿✿ *16th Street entre K et L Street NW; tél. (202) 393-1000, (800) HILTONS, fax (202) 639-5784.*

Hôtel confortable où a lieu le dîner annuel du Gridiron Club. Toutes les chambres sont équipées d'un secrétaire et de trois lignes téléphoniques séparées (dont une pour ordinateur). Navette disponible pour les aéroports National et Dulles. Gratuit pour les enfants. 543 chambres. Métro: Farragut West, Farragut North.

Carlton ❀❀❀❀ *923 16th Street NW; tél. (202) 638-2626, (800) 325-3535, fax (202) 638-4231.* Hôtel somptueux et très soigné aux chambres luxueuses tapissées de soie. Espace «bureau» équipé d'un répondeur et d'une prise pour modem. A trois blocs seulement de la Maison-Blanche. Navette gratuite le matin dans un rayon d'environ 7 km. Gratuit pour les enfants en dessous de 10 ans. 192 chambres. Métro: Farragut West ou McPherson Square.

Crowne Plaza ❀❀ *14th et K Street NW; tél. (202) 682-0111, (800) 2CROWNE, fax (202) 682-9525.* Un agréable hôtel qui surplombe Franklin Square Park et d'un excellent rapport qualité-prix. Hall d'entrée accueillant: fleurs fraîches, mobilier confortable. Motifs floraux et tons chauds décorent les chambres dont certaines ont une vue sur le Washington Monument. 318 chambres. Métro: McPherson Square.

Grand Hyatt Washington ❀❀❀-❀❀❀❀ *1000 H Street NW; tél. (202) 582-1234, (800) 233-1234, fax (202) 637-4781.* Le Hyatt dont le hall est très animé, fait penser à une petite ville. Les chambres dans les tons ocre sont décorées de meubles en acajou. Le bar est un lieu de rencontres prisé des équipes de sport en déplacement au MCI Center voisin. Au rez-de-chaussée, accès à l'internet 24h sur 24. Gratuit pour les enfants en dessous de 18 ans. 907 chambres. Métro: Métro Center.

Hay Adams ❀❀❀❀ *16th et H Street NW; tél. (202) 638-6600, (800) 424-5054, fax (202) 638-3803.* Hôtel très luxueux: les antiquités meublent les espaces publics; les oeuvres d'art et couvre-lits en soie habillent les chambres. Celles qui donnent sur H Street et sont entre les 5e et 8e étages, ont une vue directe sur la Maison-Blanche (à un bloc). Gratuit pour les enfants en dessous de 12 ans. 136 chambres. Métro: Farragut West ou McPherson Square.

Hôtels recommandés

Hotel Washington ✹✹-✹✹✹ *15th Street et Pennsylvania Avenue NW; tél. (202) 638-5900, (800) 424-9540, fax (202) 638-1594.* Très bien situé, c'est le plus ancien hôtel de Washington à avoir opéré en continu. Les chambres sont de style Colonial au mobilier en bois sombre. Le café et le restaurant sur la terrasse du dernier étage offrent une merveilleuse vue du Washington Monument. Réductions pour les familles et gratuit pour les enfants en dessous de 14 ans. 350 chambres. Métro: Métro Center.

The Jefferson ✹✹✹✹ *1200 16th Street NW; tél. (202) 347-2200, (800) 368-5966, fax (202) 223-9039.* Un petit hôtel extrêmement luxueux; chambres élégantes, lits à baldaquins, bibliothèques anciennes et livres rares. Service discret mais attentif et sans pareil. Le restaurant de l'hôtel est considéré comme un des meilleurs de la ville. Gratuit pour les enfants en dessous de 12 ans. 100 chambres. Métro: Farragut North.

Morrison-Clark Inn ✹✹ *Au coin de Massachusetts Avenue et 11th Street NW; tél. (202) 898-1200, (800) 332-7898, fax (202) 289-8576.* Cette jolie auberge bourrée de charme a une longue histoire. Partout, on trouve des petits détails qui rappellent l'époque victorienne: rideaux en dentelle, armoires sculptées, gravures du XIXe siècle. Petit déjeuner compris et réductions dans certains cas. Gratuit pour les enfants en dessous de 12 ans. 54 chambres. Métro: Métro Center ou Mt. Vernon Square.

Renaissance Mayflower ✹✹✹✹ *1127 Connecticut Avenue NW, tél. (202) 347-3000, (800) HOTELS-1, fax (202) 776-9182.* Depuis longtemps l'emplacement de choix pour les bals d'inauguration (et autrefois la résidence de FDR), cet hôtel de 10 étages fait partie des monuments classés historiques. Les chambres ont un mobilier en acajou. Gratuit pour les enfants en dessous de 18 ans. Réductions en été. 659 chambres. Métro: Farragut North.

Willard Intercontinental Hotel ✹✹✹✹ *1401 Pennsylvania Avenue NW; tél. (202) 628-9100, (800) 327-0200, fax (202) 637-7326.* Restauré et classé monument national, c'est un chef-d'œuvre des Beaux-Arts qui a accueilli des hommes d'Etat (Abraham Lincoln), des hommes de lettres (Nathaniel Hawthorne), et un grand nombre de dirigeants étrangers. Les chambres de style Federal sont spacieuses et élégantes. Gratuit pour les enfants en dessous de 18 ans. 342 chambres. Métro: Métro Center.

FOGGY BOTTOM ET GEORGETOWN

Doubletree Hotel Guest Suites ✹✹ *801 New Hampshire Avenue NW; tél. (202) 785-2000, fax (202) 785-9485.* Destinés à des locations à long terme, les appartements comprennent chambres à coucher, living-room, salle à manger et cuisine équipée (four à micro-ondes, cuisinière, frigidaire, etc...). Pas de service en chambres. Situé dans un quartier résidentiel à proximité du Kennedy Center. 101 suites. Métro: Foggy Bottom.

Embassy Suites ✹✹ *1250 22nd Street NW; tél. (202) 857-3388, (800) EMBASSY, fax (202) 785-2411.* Cet hôtel attrayant, construit autour d'un atrium de 9 étages, est le cadre de nombreuses conventions et réunions d'affaires. Chambres à coucher séparées au mobilier en bois de rose, living-rooms avec canapés-lits et salles de bains en marbre. Le petit déjeuner est compris. 317 suites.

Four Seasons ✹✹✹✹ *2800 Pennsylvania Avenue NW; tél. (202) 342-0444, (800) 332-3442, fax (202) 944-2076.* Ce splendide hôtel de Georgetown a acceuilli des hôtes de marque, du roi Hussein de Jordanie au groupe rock irlandais U2. Les chambres sont d'une élégance discrète quoique extravagante (duvets, gravures anciennes). Le service est efficace et amical. Gratuit pour les enfants en dessous de 16 ans. 196 chambres.

Georgetown Dutch Inn ✹✹ *1075 Thomas Jefferson Street NW; tél. (202) 337-0900, (800) 388-2410, fax (202) 333-6526.* Hôtel fréquenté par le personel des ambassades et des célébrités. Les suites ont une ou deux chambres à coucher. Petit déjeuner et accès au centre de remise en forme voisin compris. Gratuit pour les enfants en dessous de 14 ans. Parking gratuit. 47 suites.

Holiday Inn Georgetown ✹-✹✹ *2101 Wisconsin Avenue NW; tél. (202) 338-4600, (800) HOLIDAY, fax (202) 338-4458.* Un des secrets les mieux gardés de Washington, cet hôtel est situé loin des

foules. Les chambres sont soignées et décorées dans des tons bleus
gris. Celles aux 5ᵉ, 6ᵉ et 7ᵉ étages offrent des vues superbes du
Potomac et du Washington Monument. Situé à quelques pas seulement de la rue principale de Georgetown. 296 chambres.

Howard Johnson Premier ✸-✸✸ *2601 Virginia Avenue NW;
tél. (202) 965-2700, (800) 965-6869, fax (202) 337-5417.* Cet hôtel
fait partie d'une chaîne qui offre un bon rapport qualité-prix. C'est
dans la chambre 723 que les cambrioleurs du Watergate avaient mis
sur pied leur surveillance (manquée). Vous pourrez occuper la
chambre en payant un petit supplément. Les autres chambres sont
simples mais soignées. Piscine sur le toit. Gratuit pour les enfants
en dessous de 18 ans. 193 chambres. Métro: Foggy Bottom.

The Latham ✸✸ *3000 M Street NW; tél. (202) 726-5000, (800)
528-4261, fax (202) 337-4250.* En plein cœur de Georgetown, le
Latham offre un emplacement idéal et d'autres agréments. Certaines chambres ont vue sur la rivière. Petite piscine en plein air.
Gratuit pour les enfants en dessous de 18 ans. 143 chambres.

Park Hyatt ✸✸✸✸ *1201 24th Street NW; tél. (202) 789-1234,
(800) 922-PARK, fax (202) 457-8823.* Le Park Hyatt, à un bloc du
Rock Creek Park, est un établissement tranquille situé à mi-
chemin entre les activités du centre et les magasins et la vie nocturne de Georgetown. Les chambres ont un caractère apaisant et
sont dotées d'un fax. Gratuit pour les enfants en dessous de 17
ans. 223 chambres. Métro: Foggy Bottom ou Dupont Circle.

Street James ✸✸ *950 24th Street NW; tél. (202) 457-0500,
(800) 852-8512, fax (202) 466-6484.* La plupart de la clientèle
passent ici de longs séjours et l'hôtel est particulièrement attentif
à ses besoins: placards spacieux, cuisine bien équipée, salles de
bains en marbre. Pas de service en chambres mais un service de
livraison est organisé par les restaurants des environs. 195 suites.

Swissôtel Watergate ✸✸✸✸ *2650 Virginia Avenue NW; tél.
(202) 965-2300, (800) 424-2736, fax (202) 337-7915.* A ne pas
confondre avec le bâtiment connu pour le célèbre cambriolage.
Cet hôtel accueille les artistes en représentation au Kennedy

Center voisin et les diplomates en déplacement. Les chambres sont spacieuses et décorées dans un style français provincial. Centre de remise en forme et piscine en sous-sol. Gratuit pour les enfants en dessous de 17 ans. Métro: Foggy Bottom.

Washington Monarch ✪✪✪✪ *2401 M Street NW; tél. (202) 429-2400, fax (202) 457-5010.* C'est l'endroit idéal (d'après Arnold Schwarzenegger) pour une bonne séance d'exercice. Le West End Executive Fitness Center de l'hôtel est immense. Les chambres dont beaucoup donnent sur une jolie cour intérieure sont simples mais élégantes. Gratuit pour les enfants en dessous de 18 ans. 415 chambres. Métro: Foggy Bottom.

Wyndham Bristol ✪✪ *2430 Pennsylvania Avenue NW; tél. (202) 955-6400, (800) 955-6400, fax (202) 955-5765.* A mi-chemin entre Georgetown et le centre. Le personnel multilingue (plus de 21 langues) est apprécié par une clientèle internationale. Toutes les chambres ont un petit salon; le mobilier est confortable. Forfaits et tarifs réduits. Gratuit pour les enfants en dessous de 18 ans. 239 chambres. Métro: Foggy Bottom.

ADAMS MORGAN ET DUPONT CIRCLE

Embassy Inn ✪ *1627 16th Street NW; tél. (202) 234-7800, (800) 423-9111, fax (202) 234-3309.* Cette auberge de 4 étages date de la fin du XIXe siècle. Les chambres sont simples mais confortables. A quelques pas de Dupont Circle et Adams Morgan. La Windsor Inn au 1842 16th Street NW (tél. 202-667 0300), est sous la même direction. Les prix comprennent le petit déjeuner, des en-cas et du sherry en soirée. 38 chambres. Métro: Dupont Circle.

Hotel Sofitel ✪✪✪ *1914 Connecticut Avenue NW; tél. (202) 797-2000, (800) 424-2464, fax (202) 462-0944.* Situé à proximité de la plupart des ambassades, l'hôtel accueille une clientèle d'affaires internationale. Les chambres sont spacieuses et celles qui donnent sur Connecticut Avenue ont une vue du centre. Forfaits week-end intéressants. Gratuit pour les enfants en dessous de 12 ans. 145 chambres. Métro: Dupont Circle.

Kalorama Guest House ✿ *1854 Mintwood Place NW; tél. (202) 667-6369, fax (202) 319-1262.* Ce *Bed and Breakfast* bon marché est très apprécié des jeunes. Originales et dotées d'une atmosphère familiale, les 4 maisons sont ornées d'un ensemble éclectique d'antiquités. Une succursale se trouve au 2700 Cathedral Avenue NW (tél. 202-667 6369). Le petit déjeuner est compris. 31 chambres (12 avec salle de bains). Métro: Woodley Park-Zoo ou Dupont Circle.

Radisson Barceló ✿✿ *2121 P Street NW; tél. (202) 293-3100, (800) 333-3333, fax (202) 857-0134.* Situé dans un ancien immeuble à appartements, l'hôtel offre des chambres spacieuses dotées d'alcoves meublées de divans et de secrétaires. Le restaurant est très connu pour ses *tapas*. Tarifs réduits le week-end. Piscine sur le toit. Gratuit pour les enfants en dessous de 18 ans. 301 chambres. Métro: Dupont Circle.

Washington Hilton et Towers ✿✿✿-✿✿✿✿ *1919 Connecticut Avenue NW; tél. (202) 483-3000, (800) HILTONS, fax (202) 797-5755.* Très fréquenté lors de conventions et autres réunions. Chambres standard; celles au-dessus du 5e étage offrent une vue panoramique de la ville. Gratuit pour les enfants. Piscine olympique en plein air chauffée et courts de tennis. 1118 chambres. Métro: Dupont Circle.

Westin Fairfax ✿✿✿ *2100 Massachusetts Avenue NW; tél. (202) 293-2100, (800) 241-3333, fax (202) 293-0641.* Cet hôtel chic et imposant (autrefois résidence du jeune Al Gore) s'intègre parfaitement aux grandioses demeures de Embassy Row. Les chambres somptueuses sont dotées de salles de bains en marbre et de luxueux brocarts. Les chambres aux étages supérieurs surplombent Embassy Row ou Georgetown. Gratuit pour les enfants en dessous de 18 ans. 206 chambres. Métro: Dupont Circle.

BALTIMORE

Admiral Fell Inn ✿✿-✿✿✿ *888 S Broadway; tél. (410) 522-7377, (800) 292-4667, fax (410) 522-0707.* Cette agréable auberge a autrefois servi de pension et d'usine à vinaigre. Aujourd'hui, c'est un excellent lieu de détente; certaines chambres disposent d'un jacuzzi et de lits à baldaquins. A un bloc seulement de Fells Point, un quartier de boutiques, restaurants et bars. 80 chambres.

Harbor Court Hotel ✸✸✸ *550 Light Street; tél. (410) 234-0550, (800) 824-0076, fax (410) 659-5925.* Un charmant hôtel en briques sur le bord de l'eau. Mobilier ancien. Demandez de préférence une chambre qui donne sur le port. Le restaurant de l'hôtel, le Hamptons, est fortement recommandé. 228 chambres.

CHARLOTTESVILLE

Boar's Head Inn ✸✸ *200 Ednam Drive; tél. (804) 296-2181, (800) 476-1988, fax (804) 971-5733.* Dirigée par l'Université de Virginie, cette auberge a été bâtie autour d'un moulin qui abrite la taverne et le restaurant. Certaines chambres ont un feu de cheminée et une vue sur le lac voisin. Un excellent point de départ pour une visite des établissements viticoles des environs. Courts de tennis. Possibilités de tours en montgolfière. 175 chambres.

Keswick Hall ✸✸✸-✸✸✸✸ *701 Country Club Drive, Keswick, VA; tél. (804) 979-3440, (800) 274-5391, fax (804) 979-3457.* Une auberge typique de la campagne anglaise au beau milieu de la ville natale de Thomas Jefferson. Dirigée par Sir Bernard Ashley (époux de Laura Ashley), l'atmosphère y est romantique. Le parcours de golf a été conçu par Arnold Palmer. 48 chambres.

WILLIAMSBURG

Four Points By Sheraton ✸-✸✸ *351 York Street; tél. (800) 962-4743, fax (757) 229-0176.* Situé en face de Colonial Williamsburg et à quelques pas des Busch Gardens et des terrains de golf des alentours. Les suites sont dotées de cuisines équipées. Piscine couverte. Les tarifs comprennent le petit déjeuner et garantissent l'accès à la plupart des parcours de golf des environs. 199 chambres.

Williamsburg Inn ✸✸✸✸ *136 Francis Street; tél. (757) 229-1000, (800) HISTORY, fax (757) 220-7096.* Dirigé par la chaîne Intercontinental, ce magnifique établissement fait penser à une propriété ancestrale de style Régence. Excellent golf. 144 chambres.

Restaurants recommandés

Les catégories ont été établies en considérant le coût moyen d'un repas (trois plats) à la carte pour une personne; boissons, taxes et pourboire non compris. La plupart des restaurants de catégorie supérieure proposent également des déjeuners à des prix plus raisonnables et des menus à prix fixe pour le soir. De nombreux sites touristiques offrent également un excellent choix de restaurants. Par exemple, le House of Representatives Restaurant au Capitol (tél. 202-225 6300) propose un petit déjeuner et un déjeuner. Le déjeuner–buffet ($9,50) au Dirksen Senate Office Building (1st et C Street NE; tél. 202-224 4249) comprend une boisson, un dessert et le choix entre plusieurs plats. Le charmant Café des Artistes à la Corcoran Gallery of Art (500 17th Street NW; tél. 202-639 1786) propose un excellent brunch le dimanche ($18,95 par personne) comprenant les boissons et de la musique gospel.

Sauf indication contraire, les restaurants mentionnés ci-dessous acceptent les principales cartes de crédit (American Express, Mastercard, et Visa).

✹✹✹✹✹	$26 et plus
✹✹✹✹	$20–25
✹✹✹	$15–19
✹✹	$10–14
✹	moins de $10

CAPITOL HILL ET UNION STATION

America ✹✹ *Union Station, 50 Massachusetts Avenue NE; tél. (202) 682-9555.* Déjeuner et dîner tous les jours. Ce restaurant propose différentes cuisines des Etats-Unis ayant subi une influence ethnique. Chaque plat sur le menu porte le nom de sa «ville natale»: le San Antonio (*Frito pie*), le Peoria (tartine de confiture et de beurre de cacahuètes)... Les murs sont couverts de peintures murales rétro. Belle vue du dôme du Capitol. Métro: Union Station.

Barolo Ristorante ✪✪✪✪ *223 Pennsylvania Avenue SE; tél. (202) 547-5011.* Déjeuner et dîner du lundi au samedi; fermé le dimanche. Accueillant et sympathique, ce restaurant sert une élégante cuisine du nord de l'Italie. Le menu (viandes, pâtes, poissons) change fréquemment. Essayez le homard aux fèves servi sur un lit de pâtes à l'encre ou les raviolis aux asperges servis avec du parmesan et une sauce à la sauge. Métro: Capitol South.

B. Smith's ✪✪✪ *Union Station, 50 Massachusetts Avenue NE; tél. (202) 289-6188.* Déjeuner et dîner tous les jours. Spécialités de tomates vertes frites, *ribs, Jambalaya* et tarte aux pommes de terre douces. Un ensemble de jazz joue le soir et durant le brunch du dimanche. Métro: Union Station.

Jimmy T's ✪ *501 East Capitol Street SE; tél. (202) 546-3646.* Petit déjeuner et déjeuner du mardi au dimanche; fermé le lundi. Un *diner* de la vieille école, assez excentrique, dont la vaisselle est dépareillée mais qui offre une atmosphère affable. Attardez-vous à une table en lisant votre journal du dimanche et commandez les traditionnels délices américains tels que les gauffres, les omelettes, les œufs au plat, les sandwiches grillés et les milkshakes. Attendez-vous à faire la queue le week-end. Payement en espèces uniquement.

Tunnicliff's ✪✪ *222 7th Street SE; tél. (202) 546-3663.* Déjeuner et dîner tous les jours. Situé juste en face du Eastern Market, c'est un endroit idéal pour passer quelques heures. Les chaises à l'extérieur sont très recherchées par temps chaud. Le décor évoque la Nouvelle-Orléans, mais le menu propose un grand choix de sandwiches grillés, d'omelettes et de salades. Goûtez aux beignets faits maison. Métro: Eastern Market.

Two Quail ✪✪ *320 Massachusetts Avenue NE; tél. (202) 543-8030.* Déjeuner et dîner du lundi au vendredi; dîner uniquement le samedi et le dimanche. Un des endroits les plus romantiques de la ville, il est confortable et doté d'un mobilier de style Victorien. Une musique douce donne le ton. La nourriture est un mélange éclectique de cuisines américaines (côtes de porc, poulet grillé et salades variées). Métro: Union Station.

LE CENTRE

Aroma ✦✦ *1919 I Street NW; tél. (202) 833-4700*. Déjeuner et dîner tous les jours. Ce restaurant indien offre, dans une atmosphère de détente, des currys, *tandooris*, *biryanis* et d'autres spécialités ainsi que de nombreux plats végétariens. Le buffet du week-end ($8,95) est d'un excellent rapport qualité-prix. Le personnel serviable pourra vous conseiller. Métro: Farragut West.

Café Atlantico ✦✦✦ *405 8th Street NW; tél. (202) 393-0812*. Déjeuner et dîner du lundi au samedi; dîner uniquement le dimanche. Mélange de cuisine sud-américaine et de musique des îles. Le menu change toutes les semaines. Le guacamole est préparé à la demande devant vous. Métro: Archives-Navy Memorial.

Café Mozart ✦✦ *1331 H Street NW; tél. (202) 347-5732*. Ouvert tous les jours. Abordable et authentique, le Mozart ravira les amateurs de *wurst* (*kielbasa*, *knockwurst*, *bratwurst*, etc.). Un endroit détendu et familial. Essayez la soupe de pommes de terre et le *sauerbraten*. Les plats du jour pour le déjeuner sont à des prix très intéressants. Grande sélection de bières. Métro: Métro Center.

Capital Grille ✦✦✦✦ *601 Pennsylvania Avenue NW; tél. (202) 737-6200*. Déjeuner et dîner du lundi au vendredi; dîner uniquement le samedi et le dimanche. Les steaks sont énormes et délicieux mais si la viande n'est pas votre plat favori, essayez le steak de thon. Grande et impressionnante sélection de vins. C'est un endroit très en vogue fréquenté par les jeunes, mais il conserve un caractère vieux jeu grâce à un groupe plus agé de conservateurs, membres de l'un ou l'autre lobby, qui viennent y fumer leurs cigares. Métro: Archives-Navy Memorial.

Capitol City Brewing Co. ✦✦ *1100 New York Avenue NW; tél. (202) 628-2222*. Déjeuner et dîner tous les jours. Un pub qui bénéficie du renouveau dans le centre. Plusieurs bières en fût sont faites maison et le menu propose des hamburgers, des salades, des sandwiches et des frites. Une succursale située en face de Union Station est connue comme le lieu de rencontres, après le travail, des jeunes employés du gouvernement. Métro: Métro Center.

Georgia Brown's ✹✹✹ *950 15th Street NW; tél. (202) 393-4499*. Déjeuner et dîner du lundi au vendredi; dîner uniquement le samedi; brunch et dîner le dimanche. Restaurant du Sud haut de gamme qui sert de vieux classiques (poulets frits, côtes de porc) en y ajoutant une touche personnelle. Grand choix de plats végétariens. La pièce est claire et intime et les sièges de type canapé sont très confortables. Un groupe de jazz joue pendant le brunch. Métro: McPherson Square.

Jaleo ✹✹✹✹ *480 7th Street NW; tél. (202) 628-7949*. Déjeuner et dîner tous les jours. Ce restaurant espagnol offre un bar à *tapas* et est fréquenté au déjeuner par le personnel de Capitol Hill. Goûtez les crevettes à l'ail, les poivrons rouges farcis au chèvre ou encore l'énorme paella. Pas de réservations mais l'attente n'est jamais longue. Métro: Archives ou Gallery Place.

Occidental Grill ✹✹✹ *1475 Pennsylvania Avenue NW; tél. (202) 783-1475*. Déjeuner et dîner tous les jours. Le restaurant sert une cuisine imaginative sans être étrange (goûtez le sandwich à l'espadon), mais les amateurs de plats plus traditionnels et copieux ne seront pas pour autant déçus. Métro: Métro Center, Federal Triangle.

Old Ebbitt Grill ✹✹✹-✹✹✹✹ *675 15th Street NW; tél. (202) 347-4801*. Ouvert tous les jours. Etabli en 1856, à un bloc seulement de la Maison-Blanche, ce restaurant sert une cuisine américaine avec un penchant pour les fruits de mer. Il est obligatoire de réserver. Métro: McPherson Square ou Métro Center.

Reeves Restaurant et Bakery ✹ *1306 G Street NW; tél. (202) 628-6350*. Petit déjeuner et déjeuner uniquement; fermé le dimanche. Ce restaurant sert, depuis 1886, une nourriture de bonne qualité et sans surprise. Essayez les vieux classiques: dinde (avec sa sauce), salade de poulet et mayonnaise faite maison (le plat préféré de J. Edgar Hoover). Gardez une place pour les fabuleuses tartes. Mastercard et Visa uniquement. Métro: Métro Center.

FOGGY BOTTOM ET GEORGETOWN

Au Pied de Cochon ✱✱ *1335 Wisconsin Avenue NW; tél. (202) 333-5440.* Un agréable bistro à Georgetown qui propose des spécialités françaises comme le croque-monsieur, les quiches et les crêpes. La véranda est idéale pour prendre le petit déjeuner en hiver. Un des rares endroits de la ville qui soit ouvert toute la nuit.

Austin Grill ✱✱ *2404 Wisconsin Avenue NW; tél. (202) 337-8080.* Déjeuner et dîner tous les jours. Ce restaurant «Tex Mex» propose des plats bien connus (*enchiladas*, *fajitas*, *burritos*, etc.) à des prix raisonnables. Ne manquez pas les *quesadillas* au crabe. Le service est rapide. Chips et salsa servis à volonté. Le restaurant a une succursale au 750 E Street NW (près du MCI Center).

Booeymonger ✱ *3265 Prospect Street NW; tél. (202) 333-4810.* Ouvert tous les jours. Typique lieu de rencontres des étudiants de Georgetown. Les sandwiches en tous genres ont la vedette; essayez le Manhattan (rosbif, épinard, bacon et cheddar) ou le Patty Hearst (dinde, bacon et *provolone*). Idéal pour un petit déjeuner copieux.

Burrito Brothers ✱ *3273 M Street NW; tél. (202) 965-3963.* Déjeuner et dîner tous les jours. Probablement le meilleur *burrito* de Washington. Excellent rapport qualité-prix (vu la taille des *burritos*). Des succursales se trouvent un peu partout dans la ville. Payement en espèces uniquement.

Kinkead's ✱✱✱✱ *2000 Pennsylvania Avenue NW; tél. (202) 296-7700.* Déjeuner et dîner tous les jours. Peut-être les meilleurs fruits de mer de la ville. Bob Kinkead, le chef, est connu pour ses préparations élaborées mais n'oublie pas le «simple» poisson grillé (exquis). Pour un repas plus léger au son de l'orchestre, rendez-vous dans le bar à l'étage en dessous.

Old Glory All American Barbecue ✱✱ *3139 M Street NW; tél. (202) 337-3406.* Déjeuner et dîner tous les jours. Ne vous remplissez pas de petits pains, dégustez plutôt les *ribs*, le *brisket*, le poulet ou le porc. Arrosez le tout d'une root beer de la maison.

Sequoia ✿✿✿ *3000 K Street NW; tél. (202) 944-4200.*
Déjeuner et dîner tous les jours. Situé dans le port de Washington,
ce restaurant de 2 étages, doté de fenêtres qui font toute la hauteur des pièces et d'un patio en terrasse, surplombe le Potomac.
Salades, sandwiches, pâtes, viandes grillées, poissons et pizzas
sont tous au menu. Métro: Foggy Bottom.

1789 ✿✿✿✿ *1226 36th Street NW; tél. (202) 965-1789.* Dîner
tous les jours. Situé dans une élégante maison de 2 étages tout
près de Georgetown University, c'est l'endroit idéal pour célébrer
une occasion particulière. Le menu (cuisine nouvelle américaine)
est saisonnier. Le dîner à prix fixe ($25) est une excellente affaire!

Zed's ✿✿ *3318 M Street NW; tél. (202) 333-4710.* Déjeuner et
dîner tous les jours. Le plus populaire des restaurants éthiopiens
de la ville. Allez-y avec des amis et partagez quelques plats.
Spécialités de *doro watt* et *gomen*.

ADAMS MORGAN ET DUPONT CIRCLE

Café Lautrec ✿✿ *2431 18th Street NW; tél. (202) 265-6436.*
Déjeuner et dîner tous les jours. Bistro qui propose une cuisine
française sans fantaisie (pâtes, poulets, etc.) mais des spectacles
en fin de soirée auxquels il est difficile de résister: ensemble de
jazz et un danseur de claquettes qui se pavane sur le bar.

Food for Thought ✿ *1738 Connecticut Avenue NW; tél. (202)
797-1095.* Déjeuner et dîner du lundi au samedi; dîner uniquement le dimanche. Principalement des produits naturels, mais
également des plats à base de viande. Le service est nonchalant.
Métro: Dupont Circle.

Kramerbooks et Afterwords Café ✿✿ *1517-21 Connecticut
Avenue NW; tél. (202) 387-1462.* Ouvert tous les jours. L'endroit
idéal pour prendre un dessert ou un café après une sortie. Le café
est ouvert 24h sur 24 le week-end. Métro: Dupont Circle.

Nora ✿✿✿✿ *2132 Florida Avenue; tél. (202) 462-5143.* Dîner
du lundi au samedi; fermé le dimanche. Il est rare de trouver une

nourriture saine qui soit en même temps si délicieuse. Le chef (et la propriétaire), Nora Pouillon, tend à n'utiliser que des produits et ingrédients naturels. Sa cuisine est très inventive; essayez notamment un couscous risotto aux champignons sauvages, épinards et poivrons. Mastercard et Visa uniquement. Métro: Dupont Circle.

Petitto's Ristorante D'Italia ❀❀ *2653 Connecticut Avenue NW; tél. (202) 667-5350.* Dîner tous les soirs. Feu de cheminée dans toutes les pièces. Soirée opéra, le vendredi, dans la salle à manger du haut. Spécialité d'antipasti. Prenez votre cappucino ou digestif dans la cave à vins. Métro: Woodley Park-Zoo.

Sam & Harry's ❀❀❀❀ *1200 19th Street NW; tél. (202) 296-4333.* Déjeuner et dîner du lundi au vendredi; dîner uniquement le samedi et le dimanche. Sièges très confortables. Spécialité d'excellentes viandes et de purée de pommes de terre au beurre. La réputation des desserts n'est plus à faire, surtout s'il s'agit du gâteau au chocolat et au caramel. Métro: Dupont Circle.

ALEXANDRIA

Austin Grill ❀❀ *801 King Street; tél. (703) 684-8969.* Déjeuner et dîner tous les jours. Ce restaurant fait partie de la chaîne «Tex-Mex» préférée de Washington. Il est aussi vivant et charmant que l'original de Georgetown (voir commentaires plus haut).

Gadsby's Tavern ❀❀❀-❀❀❀❀ *138 N Royal Street; tél. (703) 548-1288.* Déjeuner et dîner tous les jours. Ce restaurant nous ramène à l'époque coloniale. La taverne, restaurée, date de la fin du XVIIIe siècle et a été utilisée comme musée et hôtel avant de devenir un restaurant. La vaisselle en étain et les verreries conviennent tout à fait à la période. Spécialité de tourtes (à la viande) variées et du pain fait maison. Mastercard et Visa uniquement.

BALTIMORE

Obrycki's ❀❀❀-❀❀❀❀ *1727 E Pratt Street; tél. (410) 732-6399.* Déjeuner et dîner tous les jours; fermé de mi-décembre à mi-mars. Il est impossible de venir dans le Maryland et de ne pas goûter aux crabes de Chesapeake Bay et Obrycki's en a un grand choix. Commandez un plateau de pattes de crabes cuites à la vapeur. Vous n'aurez envie de rien d'autre!

Paolo's ❀❀-❀❀❀ *301 Light Street, Harborplace; tél. (410) 539-7060.* Déjeuner et dîner tous les jours. Une trattoria italienne toute simple donnant sur le port. Les pâtes, les viandes et les salades sont à cheval entre le traditionnel et l'original. Les pizzas cuites au feu de bois ont des garnitures pleines de saveur.

CHARLOTTESVILLE

C&O Restaurant ❀❀❀ *515 E Water Street; tél. (804) 971-7044.* Déjeuner et dîner du lundi au vendredi; dîner uniquement le samedi et le dimanche. Un excellent restaurant sans prétention aucune, logé dans un bâtiment rustique en briques. La cuisine est un mélange réussi d'influences française, cajun et thaï. Salle à manger plus formelle à l'étage. Mastercard et Visa uniquement.

Silver Thatch ❀❀❀ *3001 Hollymead Drive; tél. (804) 978-4686.* Dîner du mardi au samedi; fermé le dimanche et le lundi. Ce restaurant adjacent à l'auberge du même nom sert une élégante cuisine nouvelle américaine. Cadre romantique. Délicieux desserts au chocolat. Excellente liste de vins du pays. C'est un endroit très fréquenté et il est recommandé de réserver à l'avance.

WILLIAMSBURG

Christiana Campbell's Tavern ❀❀❀❀ *Waller Street; tél. (757) 229-2141.* Dîner du mardi au samedi; fermé le dimanche et le lundi. Un des repaires préférés de George Washington, cette taverne coloniale a été reconstruite. Spécialité de fruits de mer. Des musiciens se baladent dans le restaurant et proposent une musique d'époque. Il est recommandé de réserver à l'avance.

Trellis Cafe, Restaurant, et Grill ❀❀❀-❀❀❀❀ *Duke of Gloucester Street, Merchants Square; tél. (757) 229-8610.* Déjeuner et dîner tous les jours. Le chef Marcel Desaulniers, détenteur d'un prix, propose une cuisine américaine régionale. Ce restaurant est reconnu sur le plan national. Excellents desserts. Endroit très en vogue, aussi réservez bien à l'avance.